사랑 그 쓸쓸함에 대하여

남킹

https://brunch.co.kr/@wonmar

소설가. 남킹 컬렉션 #001 - #444 출간을 목표로 합니다. 스페인 알리칸테 거주.

발 행 | 2023-12-12

저 자 | 남킹

펴낸이 | 한건희

펴낸곳 | 주식회사 부크크

출판사등록 | 2014.07.15(제2014-16호)

주 소 | 서울 금천구 가산디지털1로 119, A동 305호

전 화 | 1670 - 8316

이메일 | info@bookk.co.kr

ISBN | 979-11-410-5863-0

본 책은 브런치 POD 출판물입니다.

https://brunch.co.kr

www.bookk.co.kr

사랑 그 쓸쓸함에 대하여

남킹의 음악 산문

CONTENT

Famous blue raincoat

Dido - Thank You

The Way We Were

진추하 - One Summer Night

Amy Winehouse - Back To Black

김수철 - 못다핀 꽃한송이

Pomplamoose - Nuages

Ólafur Arnalds - So Far

Sigur Rós - Svefn-g-englar

Take Me Somewhere Nice

Salvatore Adamo - La Noche

Those Were The Days

Quiet - This Will Destroy You

Explosions in the Sky

Mad Soul Child- 숨결 (Breath)

Diana Krall - The Look of Love

Billie Holiday - Comes Love

Paolo Conte - It's wonderful

Analog Guy In A Digital World

Black Sabbath - Changes

Yumeji's Theme

마르 데페스에게 이 책을 바칩니다.

남킹 컬렉션

#001 그레고리 홀라디의 묘한 죽음
#002 거짓과 상상 혹은 죄와 벌
#003 신의 땅 물의 꽃
#004 심해
#005 당신을 만나러 갑니다.
#006 블루드래곤 744
#007 꿈은 이루어진다.
#008 파벨 예언서
#009 떠날 결심
#010 리셋
#011 1월의 비
#012 남킹의 문장 1
#013 남킹의 문장 2
#014 남킹의 문장 3
#015 하니은 매화
#016 남킹의 문장 4
#017 스네이크 아일랜드
#018 천일의 여황제
#019 이방인
#020 거리를 비워두세요

Ever I Saw Your Face

음악, 사랑

Roberta Flack - The First Time Ever I Saw Your Face

https://www.youtube.com/embed/VqW-eO3jTVU

그 짧은 여드레 동안 그녀는, 내게 그리움이라는 첫 페이지를 쓰게 만든 바람 같은 것인지도 모릅니다. 어떻게 이어 붙여야 할지 모르는 상념의 조각들. 어떤 연유로 파편이 되었는지. 차갑게 식어버린, 무작위적인 끌림의 연대기. 가슴은 기억을 새겨두라 하고, 정신은 후드득 몸을 흔들어 거칠게 고개를 저으라고 합니다. 그러므로 사는 것이 팍팍할 때면, 늘 그 쓸쓸함이 빼곡하게 들어차 웅성거립니다.

Pink Floyd - Julia Dream

음악, 산문

https://www.youtube.com/embed/8rSY-_sWAlI

남지는 오늘도 서점에 도착했다. 넓은 곳이지만 조명은 밝지 않았다. 그리고 항상 썰렁했다. 특히, 문학 코너는 늘 외로움이 배어 있었다. 소외된 책들이 책장에 가득했다. 한쪽 구석에 놓인 간이용 의자도 마찬가지로 쓸쓸했다.

남자는 언제부터인가 그곳에 앉기 시작했다. 딱히 책을 좋아하지도 문학에 빠지지도 않았지만, 그는 습관처럼 그곳에 앉아 오늘 구매할 책을 훑어보곤 하였다. 하지만 책의 내용을 깊이 있게 관찰하는 것은 아니었다. 오히려 고개를 들고 주위를 둘러보는 게 더 잦았다. 그는 비교적 저렴한 책을 좋아했다. 당연하게도 얇고 작은 시집을 주로 샀다.

"안녕하세요. 오늘도 오셨네요." 여자는 환한 미소와 함께, 그가 내민 책의 결제가 끝나자마자 묻지도 않고 포장하기 시작했다.

"아, 네…." 남자도 배시시 웃었다. 그는 여자의 손을 줄곧 쳐다봤다. 작고 가느다란 손가락이 능숙하게 포장지를 씌우고 각을 잡아 투명 테이프를 붙였다. 그리고 골든색 리본을 적당한 길이로 잘라 책에 꼬아서 묶더니 어느새 바람개비 리본을 완성하였다.

책을 받아 든 남자는 힘겹게 문을 열고 거리로 나섰다. 떨어지지 않는 발걸음을 옮기며, 붉고 탁한 도시의 도로를 생경한 눈빛으로 쳐다봤다. 도로의 끝에는, 여전히 푸른 바다가 흐리게 담겨 있다. 섬의 끝에는 언제나 바다가 있었다. 그는 3년 전 이곳에 왔고, 눈만 들면 늘 바다가 곁에 있으므로 외로움을 달래곤 하였다.

그리고 남자는 어느 순간부터 바다에 그녀를 떠올리기 시작했다. 그리고 시간이 갈수록, 생각은 짙어지고 느낌은 무게를 더하였다. 그는 그녀의 미소와 덧니가 좋았고, 능숙한 손놀림이 사랑스러웠다. 그는 언제나 여자의 밋밋한 손에 실반지라도 끼워주고 싶은 충동을 느꼈다. 하지만 그가 그녀에게 던진 말은 <이거 포장해주세요.>뿐이었다. 그마저도 이젠 하지 않게 되었다.

C'est La Vie

음악, 산문

Emerson, Lake & Palmer - C'est La Vie

https://www.youtube.com/embed/F2WkTNqn0GU

남자는, 섬에서 가장 큰 대형마트를 건설하는 현장에서 근무했다. 가난한 일곱 형제의 맏이였던 그는, 학자금 마련을 위해 내국인들이 꺼리는 건설직에 뛰어들었고, 타고

난 성실성과 포용력을 인정받아 비교적 빠르게 관리자가 되었다. 하지만 <노가다>로 깎아내리는 우리 사회의 통념은 그를 외로운 이방인으로 만들어버렸다. 그는 건설 현장이 있는 전국을 돌아다녔다. 낯선 곳에 낯선 사람으로 쓸쓸한 삶을 살았다. 어느덧 그는 이제 마흔을 바라보게 되었다.

여자는 시간이 늘 천천히 간다고 생각했다. 오전 10시부터 밤 10시까지, 그녀는 서점 계산대에 앉아, 빠르게 지나가는 수많은 행인을 지켜보았다. 그들은 늘 바삐 어딘가로 오고 갔다. 밖은 세상이고 안은 꿈이라고 생각했다. 혹은, 바깥은 현재고 책방은 과거처럼 느끼기도 하였다. 그리고 점점 꿈에, 과거에 머문 이가 줄었다.

서점 문을 빼죽 열고 들어오는 이례적인 행위의 낯선 인간. 그들이 계산대 위에 올려놓는 책은 친숙한 참고서나 학습지였다. 혹은 잘 포장된 재테크, 우울한 현대인의 가벼운 이야기, 유명인의 얼굴이 새겨진 익숙한 책이었다. 적어도, 낯선 이들 사이, 검게 탄 모습의 그가, 투박한 손으로 내민 자그마한 시집을 보기 전까지는 말이다.

남자는 어느새 매일 서점에 머물렀다. 시간이 느린 곳. 과거 혹은 꿈의 세상. 적어도 느긋함 혹은 게으름이 용서되는 공간. 여자의 시선은 이제 그의 모든 곳에 닿았다. 호기심은 궁금점으로, 그리고 관심으로 마침내 끌림으로 변하였다. 어둡고 구석진 문학 코너를 서성거리는 낡은 작업복. 마침내, 그가 작고 가벼운 책을 들고 그녀에게 다가올 때면, 그녀는 무겁게 반응하기 시작했다. 심장이 뛰고 흥분이 다가왔다.

사랑의 기쁨이 그녀를 물들였다. 여자는 내내 기다리고 남자는 어김없이 나타났다. 그렇게 봄이 가고 여름이 갔다. 마침내 대형마트가 완공되었다. 남자는 조급해졌다. 섬을 떠날 때가 된 것이다. 그는 선물을 준비했다. 처음으로 고백을 할 생각이었다.

하지만 그녀가 사라졌다. 낯선 청년이 어두운 서점을 지키고 있었다. 수소문하였지만 아무도 그녀의 행방을 몰랐다. 그가 섬에서 보낸 마지막 며칠은 그렇게 가뭇없이 흘러가 버렸다.

****

여자는 밝고 크고 화려하기 그지없는 서점에서 하염없이 그를 기다렸다. 하지만 낯선 이들만 가득했다. 그리움은 커지고, 그만큼 시간은 초조하게 흘렀다. 어둠이 투명한 유리를 물들이는 시간이 점점 고통으로 다가왔다.

"매니저님, 여기 한번 와보세요!" 손님이 사라진 텅 빈

대형 서점을 막 나서려는 순간, 미화 직원이 그녀에게 손짓했다.

계단 밑 간이 창고의 문이 열려있었다. 그곳에는 포장을 뜯지 않은 책들이 공간을 가득 메우고 있었다. 모두 바람개비 리본이 묶여 있었다.

그녀는 급히 책 한 권을 집어 포장을 뜯었다. 책갈피가 뚝 떨어졌다. 익숙한 글씨. 그녀가 정성을 다해 적어 놓은, 새 직장 주소와 그녀의 이름이 적혀있었다.

책갈피에 눈물이 하염없이 떨어졌다.

https://www.youtube.com/embed/qAYzSHOzRHQ

Lyrics

C'est la vie

Have your leaves all turned to brown

Will you scatter them around you?

C′est la vie

Do you love

And then how am I to know?

If you don′t, let your love show for me

C′est la vie

Oh, oh, c′est la vie

Oh, oh, c′est la vie

Who knows, who cares for me

C′est la vie

In the night

Do you light a lover′s fire

Do the ashes of desire for you remain

Like the sea

There′s a love too deep to show

Took a storm before my love flowed for you

C′est la vie

Oh, oh, c′est la vie

Oh, oh, c′est la vie

Who knows, who cares for me

C′est la vie

Like a song

Out of tune and out of time

All I needed was a rhyme for you

C′est la vie

Do you give?

Do you live from day to day?

Is there no song I can play for you?

C′est la vie

Oh, oh, c′est la vie

Oh, oh, c′est la vie

Who knows, who cares for me

C′est la vie

Salvatore Adamo - La nuit

음악, 산문

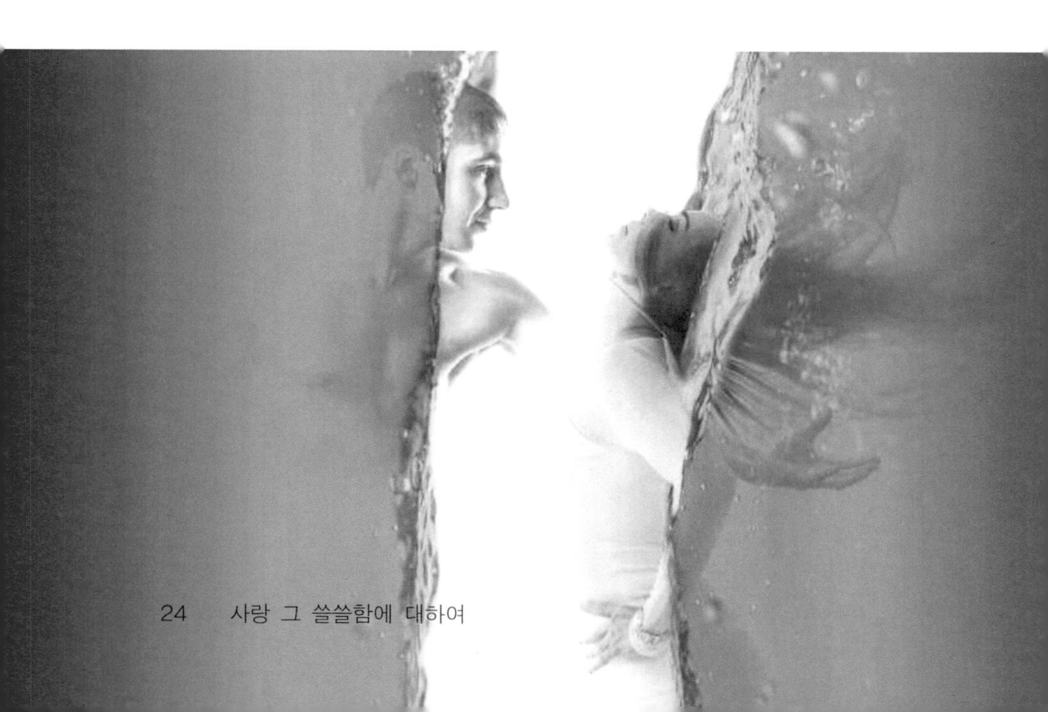

https://www.youtube.com/embed/3Y4bAS4wOHA

잠에서 깨면, 현대인답게 휴대전화기를 들여다본다. 카카오톡 39개, 라인 22개, 왓츠앱 9개의 읽지 않은 메시지가 기다리고 있다. 나는 채팅에 중독되었다.

익숙한 솜씨로 메시지를 훑어보고 지나간다. 대부분이 짤

막한 단문이거나 이모티콘이다. 우리는 모두 묵시적으로 알고 있다.

내게 온라인 여자 친구가 많이 있듯이, 그녀들 또한 수많은 남자친구가 온라인에서 기다리고 있다는 사실을.

풍족함은 부족에서 기인하는 절박함을 앗아간다. 그러니 그다지 마음에 두지 않는 사이라면, 서로의 귀한 시간을 아끼는, 사려 깊은 대답 한마디로 관계 확인만 하고 지나간다. 그것도 아까우면 그냥 이모티콘 하나 콕 찍어 버리면 그만이다.

"도대체 몇 명과 채팅하는 거예요?" 가끔 이렇게 물어보는 멍청한 여자가 있다. 그러면 나는 이렇게 대답한다.

"너무 많아서 헤아리기 힘듭니다. 대충 삼백 명 넘어요."

데이팅 앱을 시작하면서 나의 메신저에는 모두 317명의 친구가 실제로 등록되었다. 모두 여자다.

"저 오늘부터 다른 관계 모두 끊고 당신하고만 채팅할 거에요." 아주 가끔 이런 말을 하는 친구가 있다. 화상 채팅으로 서로가 진짜인 것을 확인한 직후에 주로 벌어진다. 그러면 나는 무조건 차단해 버린다. 이런 여인의 특징은 경험으로 터득하였다. 그녀는 집요하게 나의 일거수일투족을 물을 것이다.

"당신도 결국은 변태군요?" 이혼한 싱글맘에게 육체적 욕구는 어떻게 해결하세요? 라고 물어보면 종종 이런 답을 듣게 된다. 주로 아시아계 혹은 이슬람교도 여인들이 민감하게 반응한다.

나는 "구글에서 검색하면 당신보다 훨씬 이쁘고 날씬한

여인들의 음란한 사진들을 수도 없이 볼 수 있어요. 안타깝게도 당신에게서 어떤 성적인 매력도 느끼지 못하니 그다지 걱정 안 하셔도 되겠습니다."라고 쏘아붙이고는 나가버린다.

사실 이성 간의 채팅에서 로맨틱한 대화를 빼 버리면 정말이지 할 말이 남지 않는다. 강아지 사진과 밥 먹는 장면으로 한 달 이상 관계를 유지하기는 불가능하다.

그런 면에서 나는 유럽과 남미 쪽 여인들을 선호하는 편이다. 그들은 칭찬받는 것을 즐기고 성적인 대화에 큰 거부감이 없으며 섹시하다는 표현을 받고자 노력한다. 그리고 솔직하다. 내면의 감정을 가감 없이 드러낸다.

그들은 이미 삶을 깨달을 듯 보였다.

‘인생 뭐 별거 있어?’

‘바람처럼 삽시간에 사라질 운명.’

‘그냥 즐기는 거지 뭐. 애써 남의 눈치 볼 필요 없잖아.

그들도 먼지처럼 가버릴 텐데….’

Nothing Compares 2 U

사랑, 산문

https://www.youtube.com/embed/0-EF60neguk

"그저 지탱할 만큼만 무겁기를 바랄 뿐이에요."
"삶을 감당할 힘이 점점 옅어지고 있거든요. 초면에 송구스럽지만." 나는 juliadream이 보낸 메시지에 순간 동작을 멈추었다. 머릿속 회로에 때가 낀 듯 적절한 답변이 떠오르지 않았다.

'이건 뭐지? 자살이라도 하려는 걸까?'

"최근에 안 좋은 일 있으세요?" 나는 결국 평범한 메시지를 띄우고 한동안 화면을 쳐다봤다.
최근에는 드문 행동이었다. 다양한 하트 이모티콘을 쑥쑥 날리고는, 답장받는 대로 사랑 타령이나 야한 이야기로 응수하는 게 일반적이었다.

"아뇨, 그런 거는 아니고요. 항상 안 좋을 뿐이에요. 아무튼, 고마워요. 걱정을 해주셔서." 얼마 동안 기다린 걸까? 다시 머리가 굳어졌다. 답장을 미룬 채 그냥 멍하니 보고만 있다.

"죄송해요. 쉬는 시간이 다 끝났어요. 내일 연락드릴게요. 감사합니다." 나는 시계를 봤다. 얼추 오후 2시가 되었다.

다음날, 오후 1시 반쯤 그녀에게서 다시 메시지가 왔다.

"안녕하세요? 바람속의먼지님. 별일 없으시죠?"
"한글 엄청나게 잘하시던데, 언제 배웠어요? 학교에서?"

"한국인 회사에 다니고 있어요. 5년 동안. 그리고 조선족이에요."
"그럼, 영어와 독일어는?"
"영어 선생이었어요. 중국에 있을 때. 그리고 독일 남자 친구와 3년 정도 살았어요. 여기에서."
"그런데, 혹시 자살하려는 거는 아니신 거죠?"
"하하하, 자살할 수도 없어요. 아기가 있어요. 네 살 된."

"아빠는?"

"휘리릭…."

"네?"

"그냥 사라졌어요. 어느 날." 그녀는 사진을 보내왔다. 아기를 품은 모습. 티 없이 맑은 미소.

"혹시 아기의 아빠가 될 사람을 찾는 건가요?"

"아뇨, no desire to the relationship."

"아, 맞다. 제가 깜빡했네요."

"아뇨, 제가 죄송해요. 그냥 하루에 한 번 이야기를 들어 줄 수 있는 친구가 필요해요. 아주 외롭거든요."

"그럼, 차라리 가까이에 있는 친구를 사귀는 편이…."

"죄송해요. 시간이 다 되었네요. 그럼 다음에. 감사합니다."

bedhead - the present

음악, 산문

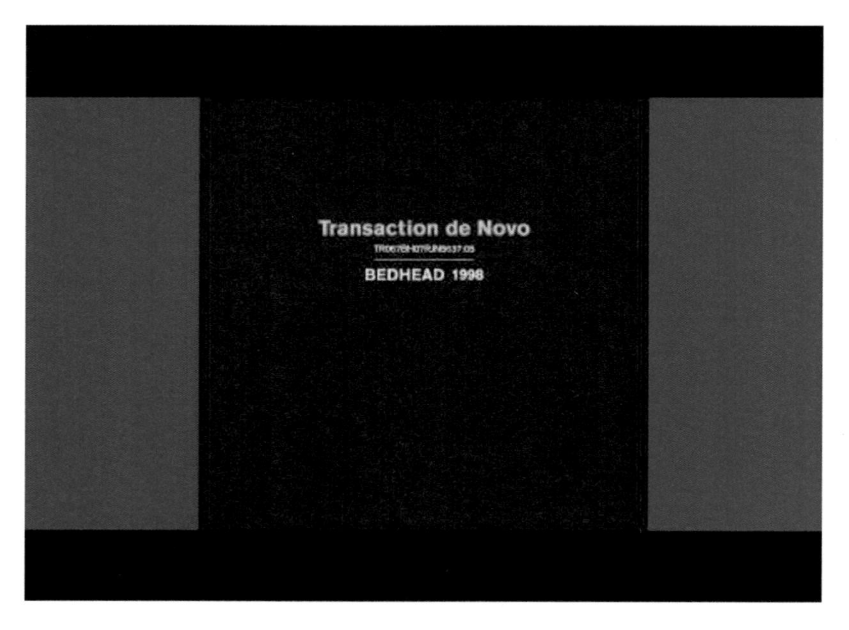

https://www.youtube.com/embed/65IHpf85G0k

자가 격리하는 동안 우리는 매일 30분씩 채팅을 하였다. 마치 강박증 환자처럼, 그녀는 비슷한 시간에 나타나 어김없이 시간을 채우고 사라졌다.

그동안 날이 갑자기 무더워지고 여인들의 옷이 삽시간에

가벼워졌다. 하지만 그녀가 보내는 사진은 여전히 겨울이었다. 나는 최근 사진을 요구하였지만 미안하다는 말뿐이었다.

"시간이 없어서요. 죄송해요."

"그래도 언젠가는 보내 주실 거죠?"

"네 조만간에."

"아주 섹시한 걸로…. 헤헤헤.

"그건, 좀 더."

그동안 우린 아주 많이 가까워졌다.

"당신에게 키스해도 될까요?"

"하지만 떨어져 있는데 어떻게?"

"그냥 말로만 하는 거죠. 괜찮죠?"

"네"

"kiss you."

"yes"

"all over."

"What?"

"너의 모든 곳에 키스를…. 헤헤헤" 그리고는 다양한 하트 이모티콘을 날리곤 하였다.

그녀의 바람과는 달리 나는 친구 이상의 감정을 조금씩 느끼기 시작했다. 어느새 그녀를 'my lady'라고 부르고 있었다. 그리고 두서없이 채팅을 이어갔다. 딱 하루에 30분이라는 것이 점점 조급하게 다가왔다. 재치가 번뜩이는 답을 하기에는 시간이 너무 짧았다.

****

독일에서의 첫 출근. 나는 고속열차를 타고 한 시간을 간 뒤, 마중 나온 회사 차량을 이용해 20분을 더 달려 회사에 도착했다. 전형적인 독일 시골의 풍경이 펼쳐졌다. 짙은 숲이 끝나면 벌판이 나타나고, 그 끝자락에 주택들이 하나둘씩 보이다가 어느새 상가나 사무실, 꽤 높고 잘 보이는 교회가 있는 광장이 나타났다.

우리는, 물푸레나무가 무성한 잎을 자랑하는 어느 사무실 건물 앞에 주차했다. 그리고 사장을 만나 체면치레의 인사말을 주고받았다. 그는 편한 반바지에 낡은 슬리퍼를 찍찍 끌며 모든 직원을 소개해주었다. 그리고 다시 사장의 차를 타고 내가 근무하게 될 공장으로 향했다. 나는 그곳에서 관리자로 일할 것이다. 채 5분도 되지 않아, 우리는 지나치게 넓은 공터와 꽤 높은 공장 건물 앞에 도착했다.

"사실, 이 공장 계약할 때만 해도 너무 넓어서 무척 망설였는데…. 지금은 여기 옆에 같은 크기로 하나 더 지으려고 합니다. 하하하…." 그는 무척 만족스러운 표정으로, 제라늄 화분이 일렬로 길게 늘어선 복도를 지나, 마침내 공장의 전경이 한눈에 바라다보이는 곳으로 나를 인도했다.

여러 갈래로 길게 늘어선 컨베이어 벨트 혹은 선반 주위로 직원들이 옹기종기 달라붙어 포장 작업을 하고 있었다. 큰 문이 보이는 입구 쪽에는 포장된 물건을 팔레트에 싣고 있고, 그 주위로 지게차가 부산하게 오고 갔다.

"저 직원 대부분이 중국인입니다. 처음에는 저도 현지인을 채용했었죠. 하지만 인건비 감당이 안 돼요. 게다가 우리의 주요 시장이 이제는 중국이잖습니까. 발 빠르게 중국에 진출한 게…. 신의 한 수였죠. 이제 우리의 큰손은 중국 졸부들입니다." 그는 경박스럽게 코를 킁킁거리며 말을 이어갔다.

"저 친구들은 근무시간도 길어요."

"어느 정도인가요?"
"15시간요."
"오전 5시부터 오후 8시까지. 한 시간의 점심시간을 포함해서. 1시부터 2시까지."
"그러면…."
"네, 그렇죠. 거의 잠만 자고 일만 하는 거지."
"그리고 한 달에 딱 한 번 놀아. 시간당 임금을 받으니 잘 안 놀려고 그래."
"뭐 사실 그렇게 뼈 빠지게 일해봤자 우리나라 직원보다는 턱도 아니게 작은 임금이지만…."
"뭐 어쩌겠어요. 정글의 법칙이 그러한 것을…." 그는 연신 코에 손을 갖다 대며, 자랑스러운 표정으로 아래를 내려다봤다.

"아이러니하지 않아요?"
"중국인이 이탈리아에서 만든 명품을 중국인들이 여기에서 포장하고 운반하여 중국에 판매하는 거지. 그리고 돈은 이탈리아, 독일, 우리가 벌고."

우리는 천천히 철계단을 이용해 현장으로 내려갔다. 가까이서 보니 작업 속도가 무척 빨랐다. 그들은 정신없이 일하고 있었다.

"한가지 조심할 사항은…."
"절대 타이르지 말고 자비를 베풀지 말라는 거지. 그냥 명령만 하세요. 그렇지 않으면 끝없이 기어오르려고 할 거예요."
"…"
"아직 공산주의 사상에 길들어서 그런 것 같더라고…."

"딱 한 사람, 매니저 말만 들어. 그 외에는 전부 평등하다고 생각하는 거지."

몇몇 직원이 우리를 알아보고는 고개를 까딱거리며 지나

쳤다. 우리는 그들 사이를 조심스레 지나갔다.

조금 떨어진 곳에 어떤 여직원 하나가 눈에 들어왔다. 그녀는 돌아가며 여러 직원에게 뭔가 말을 전달하고 있었다.

“여기서 가장 오래 근무한 친굽니다.” 사장은 나와 같은 곳을 바라보며 말했다.
“한마디로 여기 실질적인 리더라고 보면 됩니다. 만능꾼이에요. 4개 국어를 합니다. 저래 봬도. 중국어, 한국어, 영어, 독어. 거의 모든 통역을 합니다. 앞으로 우리 김 부장님을 많이 도와줄 거예요.”

여인이 우리를 알아챈 듯, 목에 감긴 녹색 수건을 풀어 젖히며, 나를 유심히 바라보기 시작했다.
작은 얼굴. 둥근 안경. 아담한 체구.

나는 발길을 멈추었다. 그리고 그녀를 바라봤다. 티 없이 맑은 미소를 떠올리려고 노력했다. 하지만 그녀는 무척 수척했다. 나는 머쓱한 상태로 그녀를 바라봤다.

그때, 사장이 내게 속삭였다.
"한 번씩 저녁 사주고 분윳값 정도만 주시면 아주 정성스레 잘해 줄 거예요. 무슨 뜻인지 알겠죠?"
"저 친구 돈이 아주 궁하거든요."

Lyrics

It's always this year's gift
Is it ever what I wanted?
Was I unhappy living in the past?

Has my growth been that stunted?

When to be ashamed is to be defined

And all this self awareness, the blind led by the blind

An empty conscience is sensitivity

I have to pretend I′m overcome with humility

It always comes on time

Not a second before the instant

But this year I think I′d rather be a relic

Than part of the present

Nova - Desafinado

음악, 산문

https://www.youtube.com/embed/FolEno814Gk

기차는 도착하고 날은 여전히 선선하다. 낯선 도시에 첫 발을 디딘다. 하늘은 낮고 기분은 높다. 상쾌한 바람이 콧등을 누비고 가벼운 발걸음의 행인이 오간다. 도시의 짙은 향이 훅 들어온다. 나는 잠시 발걸음을 멈춘 채, 이방인이라면 의당 그러하듯이, 낯섦을 포옹하기 시작한다. 새로움이 주는 향긋한 신비로움 혹은 고상함. 시간에 비례하여 욕망의 폭과 깊이에 빠지고 있다. 나는 예약한 호텔을 표시한 내비게이션을 다시 확인한다.

그녀를 처음 만날 것이다.

붉고 선명한 입술과 푸른 눈동자. 가슴이 봉긋 두드러진 반투명 명주실 티셔츠와 하늘하늘한 자주색 랩스커트가 펄럭인다. 그녀는 스프리스 나무에 기대고 있다. 혹은 버버리 체크 코트로 무장한 단정한 모습으로 보라색 엉겅퀴꽃을 바라보고 있다.

나는 플랫폼을 서서히 지나 광장의 탁 트인 하늘로 걸어간다. 모든 생경함은 설렘을 준다. 가보지 못한 곳. 익히 알지 못하는 이곳. 나는, 조금 전까지 아무것도 없는 까만 공간을, 나의 도착으로, 마침내 그려낸 한 폭의 풍경화를 대한다는 착각을 종종 하곤 한다. 사실이 무엇이든 그저 좋다.

도시란, 사람과 마찬가지로, 당신의 모습을 반향한다.

다른 도시들과 마찬가지로, 여기 또한 무질서, 단정함, 직선과 곡선, 스멀거리는 연기와 무심한 행인, 시선을 사로잡는 광고판, 매끈한 길과 투박한 도로, 정적이지만 꿈틀대는 규칙, 모든 바람의 혼란과 지저분함의 흔적들로 이루어져 있고, 그것은 마치 하늘과 나무, 건물과 인간의 소재들이 버무려져 내는 거대한 그림판과 같다.
그녀가 가까이 살고 있다. 설렘과 흥분, 기우와 기대가 복잡하게 얽힌다. 숨은 단속적으로 짧고 얕게 흐른다. 살아있음을 아끼게 한다.

보라색 꽃 사진들이 눈에 띄네요.
네, 전 보라색을 좋아해요. 옅은 보라, 짙은 보라, 우울한 보라.

뭐로 살아가요?

네?

그러니까…. 뭐, 직업 같은 거 말입니다.

아, 네. 직업요? 무직이에요. 취직이란 강탈당하고 지루해 죽는 것의 다른 이름일 뿐이에요. 그래서 안 하려고요. 하는 족족, 마치 깊은 모서리에 찍힌 것처럼 긁힌 자국만 남아요.

그럼 어떻게 살아요?

그냥. 그럭저럭 살아요. 부모님 도움도 좀 받고요. 사진도 좀 팔고요. 아르바이트도 한 번씩 하죠. 돈이 아주 궁하면요.

그럼 사진작가인가요?

그냥, 누군가 제 사진을 좋아하는 사람들이 있더군요. 대체로 나이 든 사람이지만…

당신이 저를 고른 건 제 나이 때문인가요?

아뇨, 딱 그런 것은 아니에요. 하지만 나이 든 사람이 편해요. 그리고 당신 미소가 좋았어요.

아, 네. 감사합니다. 저하고 10년 이상 차이가 나는데 괜찮겠어요? 저는 진지하게 사귈 여인을 찾고 있습니다만.

상관없어요. 제 마음이 가는 데로 저는 가거든요. 그냥 좋으면 좋고 싫으면 싫다고 얘기할 거예요.
저에 대해서 좀 아세요?
자신도 미처 알지 못하는데 당신을 어떻게 알겠어요? 그냥 단지, 당신 표정에 끌릴 뿐이에요.
하지만 중년의 모습이잖아요.
예전의 바보 같은 관계 실패 속에서 몇 가지 배운 게 있다면, 껍데기에 현혹되지 말라는 겁니다. 죄송해요. 속어를 사용해서. 저는 그냥 그래요. 사랑은 아무것도 아니라고 생각해요. 그냥 시선으로 끌어내는 관계일 따름이죠.

가볍다는 뜻인가요?
원래 인간이 가볍잖아요.

하지만 남자는, 왜, 그런 거 있잖아요. 두려우면서도 그 빛 속으로 뛰어드는 나방과 같이…. 특히, 자기 여자에 관해서는 말입니다. 깊이 빠져드는 그 무엇인가가….

어쩌면 그래서 당신에게 끌릴 수도 있을 거예요. 마치 증명사진 같은 딱딱한 소개 사진 속에 맹목적으로 누군가에게 빠지고 헌신하는 모습을 느꼈거든요. 레토릭이 아닌 진심 말이에요.

https://www.youtube.com/embed/SUTGAIJ17PY

Rammstein- Stirb Nicht Vor Mir

음악, 산문

Rammstein feat Sharleen Spiteri - Stirb Nicht Vor Mir

https://www.youtube.com/embed/f4ZU7YkVnx0

당신이 사는 곳은 어떤 곳인가요?

뭐, 그저 비슷해요. 다른 도시랑.

그래도 뭐, 특징이 있을 거 같은데요.

있죠. 특징은 많죠. 아주 큰 광장이 2개가 있고 지나치게 많은 사람이 누비고 다니죠. 정복을 기리는 기념탑이 곳곳에 있고, 반대로 독립을 상징하는 큰 건축물이 도시의 4면에 배치되어 있죠. 즉, 정복하고 정복당함의 대상이 될 정도로 요긴하거나 아름다운, 혹은 탐스러운 곳이라고 봐야겠죠. 바로 제가 사는 이곳 말이에요.
당신을 만나 봐야 할 요건이 또 하나 추가되었네요.

노랗고 성긴 그물들이 곳곳에 설치된 조형물들 사이로 까만 탑들이 보였다. 비둘기가 무리 지어 후드득 날고 그 사이로 아기가 위태로운 발걸음으로 뛰어간다. 평화롭다. 마음은 언제나 생각을 조정한다. 조작된 생각은 꾸밈이 주는 행복에 가끔 취해버린다. 따스한 초저녁이다. 나는 내 인생의 겨울에 누군가를 사랑하거나 그리워하는, 일종의 반전 드라마가 있을 줄은 전혀 생각하지 못했다.

이별이 이어지고 낙담다운 징조가 늘 뚜렷하게 따라왔다. 낮게 드리운 무거운 구름.

알 수 없는 불안감이 세월의 무게만큼 쌓였고, 차츰 뚜렷한 절망으로 변해가는 상황을 목격하고 있었다. 그냥 방전된 배터리로 간주했다. 그러던 어느 날, 버리기 전에 혹시나 해서 끼워 플래시를 켜 보니 눈부시게 환한 감정이 밝아왔다. 놀랍고 좋았다. 버리지 않고 모아두길 잘했다.

그런 의미에서 인터넷과 스마트 폰, 앱의 탄생이 내 삶의 은인이다. 타자와 연결될 수밖에 없는 우리의 외롭기 그지없는 존재. 자신의 코나투스 보존에 이처럼 살뜰하게 좋은 수단이 있었을까?

투명한 녹색 눈을 반짝이는 프로필 사진을 줄곧 쳐다봤

다. 몇 장은 극단적인 명암 대비 효과를 적절하게 집어 넣었다. 서른 살에 걸맞은 아름다움을 걸치고, 미소에는 삶의 기쁨이 배어 있다. 이목구비가 선명하다. 그리고 무척 가늘었다. 홀쭉한 목선을 따라 보라색 혈관이 도드라진다. 가슴은 착 달라붙었고 사타구니는 주먹이 하나 들어갈 정도로 넓었다. 둥근 티타늄 안경. 금색 머리는 말총으로 묶여있다.

광장 포석에서 옅은 치마를 날리며 입술을 닫은 채, 웃고 있는 모습. 잘 된 작품에는 경련을 일으킬 것 같은 치밀한 환상이 흘러넘친다. 나는 그 속을 즐거이 유영한다. 첫 2주 동안 우리는 매일 대화를 나눴다. 시간이 지날수록, 그녀를 향한 알 수 없는 감정선이 높고 깊어졌다.

가까이에 사는 것 같은데…. 차로 한 2시간 정도…

네, 그래서요?

만날 수 있을까 해서요?

뭐, 사랑하거나 좋아하면 얼마든지 만날 수 있죠. 당연히 만나야겠죠.

그럼 저 좋아해요?

네.

그럼 만나도 되겠네요.

그렇다고 봐야겠죠.

만나서 같이 잘 수 있어요?

자는 게 목적인가요?

사랑이 목적입니다.

사랑을 빙자한 욕망 추구는 아니고요?

아름다움 혹은 사랑이 선사하는 육체적 끌림에 단지 충실할 뿐입니다. 추잡한 남자의 뻔한 욕망이라고만 깎아내리지 않는다면 말입니다.

노력하지만 그저 퉁명하게 질문할 수밖에 없군요. 변태인가요?

당신이 그렇게 규정한다면 그렇다고 봐야겠죠. 단어의 정의는 사람마다 다르니까.

그저 당신은 섹스를 위해 피상적인 만남을 가지려는군요.

제가 누굴 탓하겠습니까? 사랑을 지나치게 고상하게 만든 옛사람들의 잘못인데. 장담하건대, 한 100년쯤 지나면 거리에서 누구나 자유롭게 섹스하는 세상이 될 겁니다. 지금 길거리에서 키스하듯이.

하하하.

하하하. 수긍의 답변으로 받아들이겠습니다. 세상 사람이 이 만남 앱에서 목적하는 바를 세세하고도 명확하게 표현하기 시작한다면 거의 모든 인간이 속물스럽기 짝이 없는 변태일 겁니다. 저는 그냥 성의 굴절이라고 부릅니다. 그다지 절절하게 분노할 필요는 없을 듯합니다.

무척 따사로운 표현이군요. 뭔가 좀 애잔하기도 하고요. 성의 굴절. 에둘러서 표현한 당신의 욕정. 쌉싸래한 맛이 느껴지는군요. 무용의 유용성 같은 것인가요?

저는 단지 사랑으로 부푼 가슴속에 잠들고 싶을 뿐입니다. 바로 당신 품속에….

'하지만 아직 몇 시간을 더 기다려야 한다.'

Lyrics

Die Nacht öffnet ihren Schoß
Das Kind heißt Einsamkeit
Es ist kalt und regungslos
Ich weine leise in die Zeit
Ich weiß nicht wie du heißt
Doch ich weiß dass es dich gibt
Ich weiß dass irgendwann
irgendwer mich liebt

He comes to me every night

No words are left to say

With his hands around my neck

I close my eyes and pass away

I don′t know who he is

In my dreams he does exist

His passion is a kiss

And I can not resist

Ich warte hier

Don′t die before I do

Ich warte hier

Stirb nicht vor mir

I don′t know who you are

I know that you exist

Stirb nicht

Sometimes love seems so far

Ich warte hier

Your love I can′t dismiss

Ich warte hier

Alle Häuser sind verschneit

Und in den Fenstern Kerzenlicht

Dort liegen sie zu zweit

Und ich

Ich warte nur auf dich

Ich warte hier

Don't die before I do

Ich warte hier

Stirb nicht vor mir

I don't know who you are

I know that you exist

Stirb nicht

Sometimes love seems so far

Ich warte hier

Your love I can't dismiss

Stirb nicht vor mir

It's All over Now Baby Blue

음악, 산문

https://www.youtube.com/embed/Lp19hLAuOVE

나는 곧은 길이 끝나는 곳에서 바람과 사람과 샛별과 가로수 불빛을 다정하게 쳐다본다. 시간은 지나치게 상대적이다. 기다림은, 시간을 아주 가늘고 진득한 고무줄처럼 길게 길게 잡아 늘이고 있다.

그 전에 나는, 내 여인의 도시를, 될 수 있는 대로 많이 훑어볼 생각이다. 그녀가 남긴 발자국을 상상하고, 그녀가 걸터앉은 카페 의자를 추리하고, 그녀가 피우다 흘린 담뱃재를 품은 바람을 맞을 생각이다. 나의 눈과 코와 귀, 피부는 일련의 순간을 포착하는 방법으로 예민해진다.

날래고 눈치 빠르고 꾀바른 새들이 무리를 지어 가로수와 가로수를 이어간다. 인간이 만들어 낸 인조 그대로의 냄새가 느린 발자국 사이에 어우러진다. 그리움이 나의 걸음을 규정한다. 얼마나 시간이 흘렀을까? 아쉽게도 내가 들여다본 시간은 거의 정지한 듯하다. 하지만 어둑어둑해진 도시는 이미 내 곁에서 온기를 가져간다.
우리는 가끔 서로의 사진을 교환하기도 했다. 나는 그중에 가장 멋진 그녀의 사진을 인화하여 스와로브스키 둥근 액자에 담아 두었다.

제나는 야외 카페에 앉아있다. 갈색의 둥근 테이블. 투명한 하늘. 박하 잎 아이스 복숭아 벨리니 칵테일이 담긴 유리컵, 포크와 나이프. 그것을 감싼 쥐색 종이 냅킨. 두툼한 녹색 잎과 붉은 꽃을 단 투박한 선인장 화분. 여자는 배에 두 손을 모은 채 은은한 미소를 보낸다. 미소진 볼에 주름이 보인다.

당신의 예전 사랑은 어땠나요?

비참했죠. 경박한 바람둥이를 만났거든요. 여자와 하는 이상한 줄다리기에 빠진 인간이었어요. 아마도 여자가 그에게 넘어오는 순간, 그는 자기 삶에 대한 당위성을 얻는 것처럼 보였어요.

그래서 절교를 한 건가요?

사실 절교도 필요치 않았어요. 그냥 눈에 띄지 않으면 되었으니까요. 그래서 꽤 많은 시간이 흐르게 되면 그도 느끼겠죠. 우리가 다른 곳을 향하고 있구나 하고. 아무튼 헤어진 것이 거의 확실하다고 느낄 때쯤 해서 저는 무척 바쁜 일들을 심하게 처리하면서 다녔어요. 그렇지 않으면 미쳐버릴 것 같았거든요.

결국 헤어졌군요?

모르겠어요. 오래전 일이라…. 그렇게 견딜 수가 없을 때가 있었는데…. 그런데, 갈등이 사라지니 그것마저 그리워지더군요. 물론 꽤 많은 시간이 흐른 뒤에….

Lyrics

You must leave now, take what you need, you think will last.

But whatever you wish to keep, you'd better grab it fast.

Yonder stands your orphan with his gun,

Crying like a fire in the sun.

Look out the saints are coming through

And it's all over now, Baby Blue.

The highway is for gamblers, better use your sense.

Take what you have gathered from coincidence.

The empty-handed painter from your streets

Is drawing crazy patterns on your sheets.

This sky, too, is folding under you

And it's all over now, Baby Blue.

All your seasick sailors, they are rowing home.

Your empty-handed armies are all going home.

The lover who just walked out your door
Has taken all his blankets from the floor.
The carpet, too, is moving under you
And it´s all over now, Baby Blue.
Leave your stepping stones behind you, something calls for you.
Forget the dead you´ve left, they will not follow you.
The vagabond who´s rapping at your door
Is standing in the clothes that you once wore.
Strike another match, go start anew
And it´s all over now, Baby Blue.

이상우 - 비창 悲愴

음악, 산문

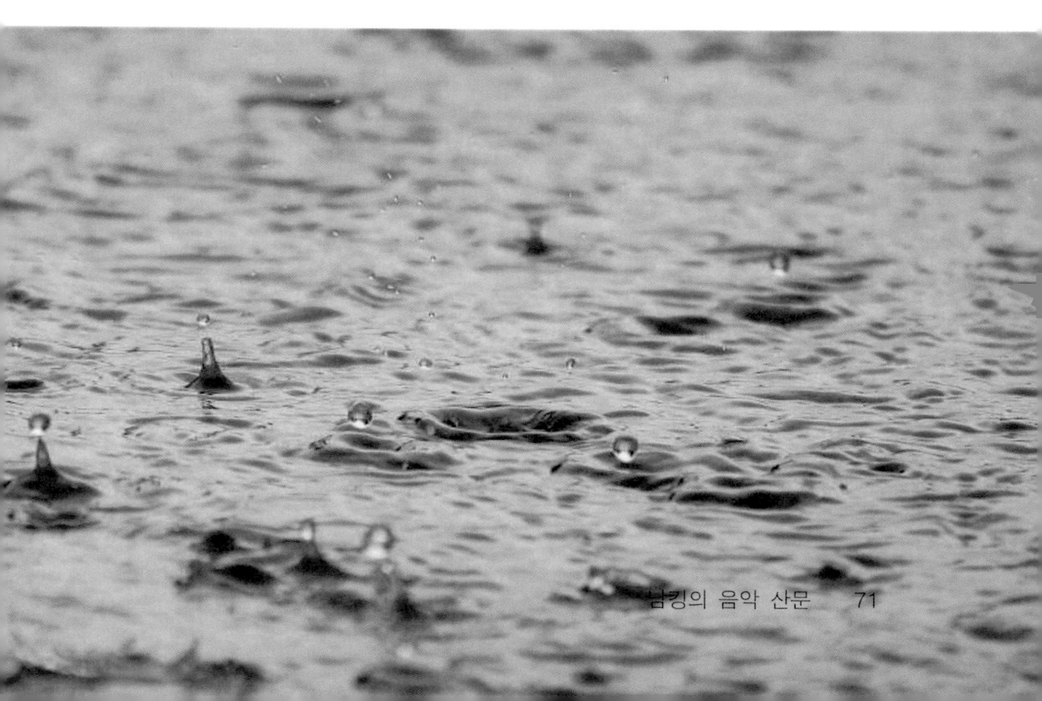

https://www.youtube.com/embed/Ee6cb5YAWkE

한적한 골목으로 들어서자 바람이 곁을 지킨다. 속삭이듯 연하고, 수줍은 듯 주춤거리며 다가오다 문득, 부드럽게 어루만지다, 멀어진 듯하더니 다시 돌아온다.

강을 품은 바람 냄새가 나곤 해요. 인적이 드문 골목에서면 확연히 느낄 수 있어요. 좋은 냄새 말이에요. 당신에게 주고픈 향기 말이에요.

너무 차갑지 않았으면 좋겠네요.

늘 당신은 그게 걱정이죠. 알아요. 선한 마음은 그냥 아무 말 없음에도 묻어나곤 하죠. 하물며 우리가 본적도 만난 적도 없지만 이렇게 따스함을 느끼잖아요.

분홍빛, 노랑, 하얀색 집들이 다닥다닥 붙은 좁은 골목이 휘다 반듯하고, 좁았다 넓어지기도 한다.

그냥 골목골목을 휘젓고 다니죠. 익숙한 곳이지만 늘 새롭게 나타나죠. 미처 보지 못한 것일 수도 혹은 그냥 내 기억에 사라진 것들도 있겠죠. 어쩌면 조물주가 장난삼아 하나 정도는 살짝 순식간에 집어넣은 것일 수도 있고요.

신의 존재를 믿는가요?

아뇨, 믿지 않아요. 그냥 우연히 태어났고 그렇게 사라질 거로 생각해요. 사실 제가 생각하는 이것도 머릿속 어딘가의 화학작용에 기인한 결과일 뿐이죠.

그거 너무 비관적인 거 아닌가요?

아뇨, 오히려 반대로 편안해요. 모든 것에서 벗어날 수 있으니까요. 가장 거추장스러웠던 남들의 시선도 이젠 다정한 눈길로 바라볼 수 있게 되었거든요. 규칙, 규정, 관습, 걱정, 불안, 미련 같은 용어들이 제게 남지 않아요. 그 대신 늘 사랑을 꿈꾸죠. 당신을 만난 건 행운이고요.

그리움이 가슴을 옥죈다. 걸음 마다에 갈증이 붙어있다. 한패의 남녀가 쾌활한 웃음을 흘린다. 정감을 담은 눈길이 마주치고 미소가 뒤를 따른다. 행복을 품은 인사가 다가온다.

할로. 할로. 할로.

좁은 골목이 끝나고 넓은 광장이 나타났다. 물소리가 들리고 다양한 소음이 퍼진다. 요란한 분수대가 나타났다. 제냐의 모습이 영상 속에 펼쳐진다.

햇빛과 반사되는 물안개 속에 그녀는 환한 미소로 삶을 즐긴다. 따사로운 여름 햇살. 그녀는 튀어 오르는 물방울 속에서 짓궂은 표정으로, 마치 영화의 주인공처럼 쾌활하다.

도시에 오면 꼭 이 분수에 들러 주세요.

꽤 독특하군요.

재밌고 신나요. 혼란스럽고 산만하잖아요. 어릴 적 제 방처럼요. 어쩌면 질서정연함은 우주의 근본이 아닐 수도 있다는 생각이 들어요. 모든 것은 대혼란에서 시작되었으니까요. 물론 제 머릿속은 아직도 혼돈으로 가득하지만, 주위를 둘러보면 놀랍도록 깨끗하게 정돈되어 있어요. 제가 이렇게 되리라곤 누가 상상이라도 했겠어요?

그녀는 가슴을 출렁거리며 한껏 요염한 뒤태를 보인다.

이 영상 저를 위해 찍은 거는 아니겠죠?

하하하. 물론 아니에요. 당신을 알기 꽤 오래전에 촬영했거든요. 제 동생의 손과 풋풋한 미소를 보세요? 지금은 아주 징그럽게 커졌어요. 냄새도 나고요. 하하하. 정말이지 징글징글하게 말도 안 듣고요.

화려하고 복잡한 로코코 양식 위에 걸터앉아 무진장하게 넓고 잘 정돈된 정원을 배경으로 소녀는 무척 밝게 웃고 있다. 그러다 어느새 시장 짚단 속에, 푸석한 먼지에 파묻혀, 낡고 오래된 것들에 둘러싸여, 흐린 미소를 보내기도 한다.

양희은 - 사랑 그 쓸쓸함에 대하여

음악, 산문

https://www.youtube.com/embed/eZFh8erJbuk

그동안 당신은 몇 번이나 사랑에 빠졌나요?

솔직한 대답을 원하나요?

네. 어차피 당신이 어떤 대답을 하더라도 비난하거나 욕할 사이는 아니잖아요?

그런 사이가 될 가능성이 있으니까 문제죠. 미래 어느 시점에 말입니다. 운명처럼.

하하하. 뭐 그렇게 되더라도 상관없어요. 어차피 저도 사랑에 관하여, 세상의 하찮기 짝이 없는 도덕과 관습, 규율에 충실한 것은 아니었으니까요.

많아요. 무척 많아요. 셀 수도 없이 많아요. 어떤 때는 길을 가다가 지나치는 여인에게 홀딱 빠질 때도 있어요. 물론 찰나와 다름없지만.

음…. 제가 질문을 잘못 드린 것 같군요.

아뇨, 제가 죄송합니다. 현문우답. 헤헤헤.

그럼, 첫사랑은 언제였나요?

사실, 첫사랑이 명백하지 않습니다. 남녀의 차이를 인식하기 시작할 때부터 몇몇 여인들에게 강한 끌림을 느꼈으니까요. 하지만 첫 경험은 정확히 기억합니다. 그건 잊을 수가 없죠.

좋았나요?

그저 총각 딱지를 떼게 한 바람 같은 것이었어요. 하지만 페가수스를 탄 듯 황홀했죠. 틀림없이. 지금도 기억이 생생하니까. 정갈하고 환한 천국이라 생각했어요. 다만 칙칙하고 어두운 골방 같은 창고여서 좀 그다지 낭만답지는 않았어요.

여러 번 한 거예요?

처음이니까. 당연하게도. 모두 다 그래요.

첫날은 원래 많이 하는 건가요?

시작은 원래 그래요. 새로움은 신비롭고….

그래서?

음…. 의기충천하게 되지요. 재치도 번득이고.

재치?

응. 어릴 때 무척 낮은 존재감으로 살았거든요. 세상의 모든 연인을 시기하면서 말입니다.

그게 재치와 무슨 상관이에요? 정말 두서없이 말을 하는 것 같군요. 크크크.

음…. 맞아요. 딱히 재치가 적합한 단어는 아닌 것 같군요. 뭐랄까??? 뭔가 적합한 단어가 생각이 안 나네요.

그러고는 또 뭐가 생각나세요?

아팠어요.

몸이? 마음이?

둘 다요. 여자가 힘들고 지치고 아픈 듯이 슬리퍼를 질질 끌고 나가는 모습을 그냥 지켜봤어요. 경박스럽다고 생각했어요. 누워서. 멀찍이 떨어진 채로. 뭐 나도 많이 지쳤으니까. 모든 황홀함 뒤에는 쓸쓸함이 느껴지고는 하잖아요. 동시에 삶의 척박함을 그 기준으로 바라보게 되었어요. 그때부터 오한이 들기 시작했고요. 사흘을 꼼짝없이 누워 있었어요.

또 기억나는 거는요?

또 다른 관계를 이루기 위한 숱한 시간 낭비가 있었죠. 하지만 기억은 중독으로 이어지죠. 오로지 향기와 피부의 마찰을 통해서만 영감을 받았거든요. 내 삶 대부분의 불행은 권태로움에서 비롯되었어요. 그래서 여자를 심하게 쫓아다녔어요. 만남이 아찔한 경이가 되던 시절이었죠.

전, 그런 관계에 관해 무지막지하게 많은 것들이 알려졌으므로 인해 좀 시큰둥한 편이에요.

사랑이란, 하는 것, 할 수 있는 것만 하는 것이 아니라, 할 수 있었던 것, 하면 안 되는 것까지 해야만 하는 것이라는 우스갯소리 들어 본 적 있어요?

하하하. 혹시 주위에서 당신을 속물이라고 하지 않던가요?

뭐, 그럴 수도 있겠죠. 만약 제 머릿속에 떠도는 생각을 그대로 글로 나타내는 기계가 있다면 전 틀림없이 파렴치한 성애 주의자로 낙인이 찍혔을 겁니다. 아마. 하지만 저는 그렇게 생각합니다. 세상의 인간은 다 저와 같을 거라고. 단지 얼마나 잘 숨기고 아닌척하느냐 하는 차이뿐이죠.

와, 당신의 솔직함에 경의를.

제가 생각하는 것은…. 음…. 모든 사랑의 순간은 단 한 번뿐이라는 거죠. 다시 돌아오지 않죠. 그러한 사실을 완전히 깨우쳐야만 진정한 사랑이 성립된다고 봅니다. 괜히 좋아하는 척, 황홀한 척할 필욘 없죠. 그건 그냥 교묘히 피해 가려는 수작일 뿐이잖아요. 진지하게 그냥 맞닥뜨려야 해요. 두려워할 게 전혀 없죠. 어차피 우린 지푸라기처럼 약한 존재니까. 세상의 이목? 아무것도 지출하지 않으면 아무것도 얻지 못한다고 봐요. 그냥 저지르고 보는 거죠. 그러면 된다고 봅니다. 그것뿐입니다.

음…. 본능적으로는 당신의 제법 공격적인 생각에 반기를 들고 싶은데…. 사실을 사실이라고 말하는 용기에는 손뼉을 쳐주고 싶네요. 아무튼, 첫 만남부터 우린 아주 오랜 연인처럼 속마음을 속삭일 수 있으리라 기대합니다.

Morris Albert - Feelings

음악, 산문

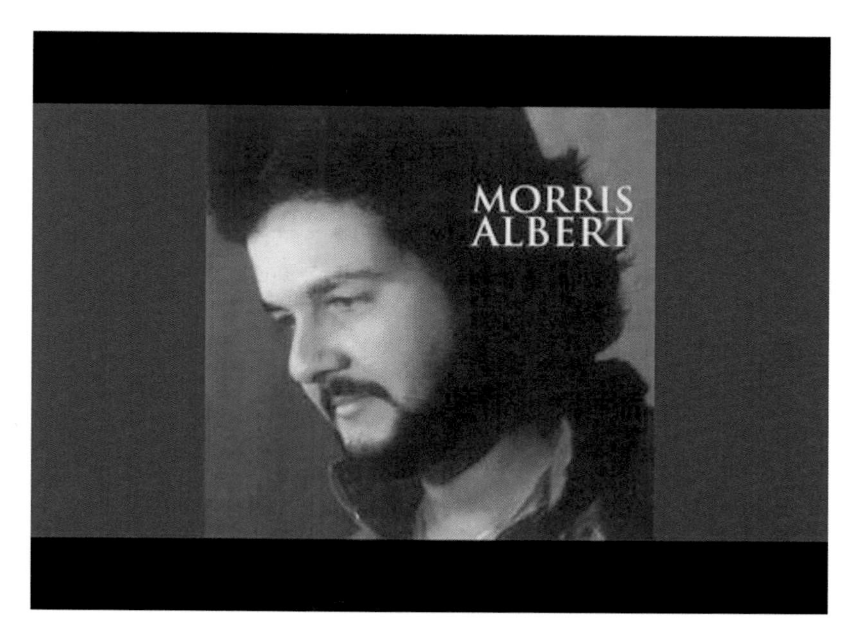

https://www.youtube.com/embed/-iW0FVLd-3M

313호 카드키를 받았다. 홀은 대리석으로 매끈하고 음악은 <프랑수아즈 아르디>로 상큼하다. 장식이 지나치게 큰 창에 무겁게 담겨있다. 시스티나 천장화 사진들이 손바닥 크기로 옆 벽면을 나란히 채우고 있다. 안팎 두 겹으로 매달려 올라간 비단 커튼이 가볍게 살랑거린다.

계단을 이용해 3층 복도로 올라갔다. 큰 걸개 사진이 눈에 띈다. 오래된 중세 수도원과 검은 땅에 자란 풍족한 포도밭이 언덕 전체를 끝도 없이 덮고 있다. 흥분 속에 발걸음이 휘청거린다. 두려움과 설렘이 시시각각으로 교차한다. 왼편 309호에서 맞은편 310호, 다시 맞은편 311호.

우리의 방으로 향하는, 발끝이 내딛는 곳마다 공간이 살짝살짝 흔들린다. 자신이 예전에 전혀 알지 못했던 내밀한 세계에 푹 빠진 느낌이다.

생각보다 아담한 크기의 방이었다. 침대 바로 위에는 <앙투안 바토>의 작품이 걸려있다. 나는 서둘러 그녀에게 메시지를 보냈다.

'Blauer Fluss Hotel Room 313
당신이 말한 호텔에 방을 잡았습니다. 와인도 준비했습니다. 여기서 당신이 올 때까지 영원히 기다릴 겁니다.'

답장은 곧 왔다.
네. 무모하기 짝이 없는 당신이 궁금해서라도 서둘러 가야겠네요. 고마워요.

샤워를 마친 나는, 화장실 옆 작은 창에 의자를 가져와 걸터앉아 검은 도시를 바라봤다. 적막과 한적함으로 둘러친 커튼이 바람을 안고 속삭인다. 옅은 어둠 사이로 가로등이 박혀 있다. 그리고 창을 반쯤 열었다. 어둑한 침실 끝에 반사된 거울 빛이 들어왔다. 밝지도 눈부시지도 않은 내 속에 그녀가 꿈틀댄다. 그냥 죽어도 좋다고 생각한다. 어차피 죽을 거. 그냥 성욕에 몸서리치다가 가는 것도 나쁘지 않아 보였다.

Offenbach - Jacqueline's Tears

음악, 산문

https://www.youtube.com/embed/WnW6n2aviF4

노란 전조등과 속도가 만든 도로의 선들이 수백 가지의 흐린 소음과 얽힌다. 차들은 뒤엉키고, 잠시 멈칫거리더니, 이내 빠르게 흐르다가, 다시 평온한 흐름으로 바뀌었다. 도시의 친근함에 빠져든다. 하지만 여전히 시간은 지독하리만큼 느리게 흐른다. 아직 4시간을 더 기다려야 한다. 애간장을 끓게 만드는 첫 만남의 신비. 나는 유튜

브에서 <Archive>의 노래 <Again> Long version을 튼다. 그리고 새틴 웨딩드레스에 휘감긴 그녀를 상상한다.

이윽고 휴대전화 액정이 밝아진다. 그리고 익숙한 알림 소리가 들린다.

'당신의 친구, 제냐가 가까이에 있습니다. 축하합니다.'

화면에 그려진 지도 속에 반짝이는 하트 이모티콘. 800m도 채 되지 않는 곳에 내 여자가 나타났다. 생각보다 이른 시간에 나타난 그녀가 반갑기 그지없다. 나는 노래가 끝날 때까지 기다렸다. 하지만 그녀는 더 이상 가까워지지 않고 있다. 나는 잠시 머뭇거리다 옷을 다시 입는다.

나는 두 귀 있는 데까지 모자를 꽉 눌러 고쳐 쓰고는 바깥으로 나왔다. 무심한 고즈넉함이 공간을 메웠다. 사람들이 여기저기 모여 웅성거리는 소리가 귓가를 스쳤다. 보름달은 벌써 흐릿한 구름 뒤로 사라졌다.

밤이 유리창을 모두 덮었다. 그렇게 누렇고 뿌연 도시가 자신을 감췄다. 바람은 한기를 머금었다. 걸을 때마다 바지가 사각거렸다. 그녀에게 다가갈수록 거리의 소음이 커졌다. 해묵은 이미지가 보이는 구석구석을 채웠다. 그리고 제법 가까운 거리에 횃불이 하나둘씩 보였다. 그리고 하늘 어둠 속 어딘가로 사라지는 회색 연기가 무거운 춤을 췄다.

그런 날이 있었던 거야. 우리가 모두 그런 것처럼, 사랑이 새겨진 유전자가 어딘가에 박혀 있잖아. 지독하게 누군가를 좋아하는 행위 말이야.

구불거리는 거리를 다시 지나친다. 점점 그녀와 가까워지고 있다. 그리고 마침내 화려한 조명이 감싸고 있는 매혹적인 건물 앞에 다가선다. 마치 로만 바스(Roman Bath)를 연상케 한다. 커다란 아치 지붕과 테라스가 보인다. 외벽을 장식한 아름다운 대칭과 정교한 조각. 입구에는 로마 황제와 총독으로 보이는 하얀 동상이 서 있다. 만남 앱이 표시한 그녀와의 거리는 불과 20m.

그녀는 여기에 있는 게 틀림없다.

당신의 어린 시절은 어떤가요?
저의 어린 시절?

사람들의 괨을 늘 받기를 원했죠. 하지만 아시겠죠? 그렇지 않았기에 그러함에 갈증을 느끼는 상황을…그래서 그런지...어릴적부터 그다지 먼 미래를 바라보지 않고 있어요. 목표에 충실한 것도 아니고요. 그저 항상성을 유지하고 평형을 조절하는 거죠. 붓다가 그랬다고 그러더군요. 남에게 의지하지 말라고. 깨달음은 혼자 스스로 하는 거라고.

깨달음을 갈구하는군요?
아뇨. 정반대죠. 행복을 원합니다. 아주 행복하거나 황홀한 순간을 추구합니다. 사실 그 상태에서는 깨달음을 아예 생각조차 하지 않게 됩니다. 어쩌면 깨달음은 끝없는 절망의 심연에서 가능할지도 모르겠습니다. 난 뭔가 되고자 하는 욕망을 일찌감치 포기했어요. 하고 싶은 것, 이루고 싶은 것, 꿈, 미래 어느 것 하나 그다지 소원하지 않아요. 그냥 내 몸이 가는 데만 향할 생각이에요. 어쩌면 심하게 자유를 갈구한다고 봐야겠죠.

나는 건물 입구에 적힌 안내문을 바라봤다.

입장료 : 4시 이전에는 50유로, 이후에는 70유로
영업시간 : 일요일~화요일은 10시부터 새벽 4시까지
수요일부터 토요일은 10시부터 새벽 5시까지

나는 계산대에 가서 돈을 냈다. 여자는 생긋 웃으며 내 손목에 팔찌 띠를 채워준다. 그리고 키를 건넨다. 277번.

카운트를 지나 좁고 밝은 통로를 벗어나자 홀이 나타났다. 공간을 가득 채운 사람들. 여인들은 모두 알몸이었다. 나의 시선과 두뇌는 재빠르게 그들 하나하나를 스캔하고 평가한다. 지나치게 심장이 빨라진다. 신묘한 감미로움이 내 속을 채우고 넘쳐흐른다. 그리고 마침내 그녀와 눈이 마주쳤다.

익숙한 얼굴. 제냐는 나를 보고 미소를 지었다. 그리고 그 순간, 알람이 울렸다.

'마침내 만나셨군요. 축하합니다. 행복한 시간이 되세요. 당신의 큐피드 보너스 점수 5만 점이 추가되었습니다.'

김윤아 - 봄날은 간다

음악, 산문

https://www.youtube.com/embed/vf6TWmxJZxY

나는 그녀가 처음 사무실 문을 열고 들어온 날을 또렷이 기억한다. 독일에 머문 지 3년째였다. 단출하기 이를 데 없는 회사의 영업과장으로 진급한 지 얼마 되지 않는 날이었다. 그 당시 회사는 독일어와 불어, 영어를 능수능란하게 통역할 수 있는 외국인을 오랫동안 구하고 있었다.

나는 금발에 파란 눈, 육중한 몸매의 통역사를 예상했었다. 하지만 사무실에 모습을 드러낸 여인은 전형적인 아시아인이었다. 자그마하고 비쩍 마른 외형에, 막 휴가에서 돌아온 듯, 까맣게 탄 얼굴을 하고 있었다.

나는 당황함을 감추지 못한 채, 급히 그녀의 이력서를 다시 훑어봤다. 하지만 그녀의 이름뿐만 아니라 나머지 내용에서 한국인 혹은 아시아계라는 단서가 될 만한 어떤 내용도 발견할 수 없었다. 그녀는 프랑스에서 성장하였으며, 독일에서 대학을 나와, 최근까지 영국에 거주한 것으로 되어 있었다.

그녀는 이런 상황을 당연히 예상한 듯 유창한 독일어로 자신의 상황을 설명하였다. 내가 잘 알아듣지 못하자, 이번에는 영국식 영어로 재차 설명하였다. 자신은 한국에서 태어났으나, 다섯 살 때 프랑스로 입양되었으며, 자란 곳이 독일과 국경을 접한 <알자스-로렌> 지역인데, 이곳은 한때 독일 점령지였기에, 자연스레 독일어에 능통하다는 거였다. 그리고 대학 졸업 후, 최근 약 3년 동안 잉글랜드와 스코틀랜드 그리고 아일랜드 전역에 여행하듯 두루 살았다고 하였다.

"많이 돌아다녀야 할 텐데 괜찮을까요?" 나의 첫 질문이었다.

"그래서 지원했어요."

가사

눈을 감으면 문득 그리운 날의 기억
아직까지도 마음이 저려오는 건

그건 아마 사랑도 피고 지는 꽃처럼
아름다워서 슬프기 때문일 거야 아마도
봄날은 가네 무심히도
꽃잎은 지네 바람에
머물 수 없던 아름다운 사람들
가만히 눈 감으면 잡힐 것 같은
아련히 마음 아픈 추억같은 것들
봄은 또 오고 꽃은 피고 또 지고 피고
아름다워서 너무나 슬픈 이야기
봄날은 가네 무심히도
꽃잎은 지네 바람에
머물수 없던 아름다운 사람들
가만히 눈감으면 잡힐 것 같은
아련히 마음 아픈 추억같은 것들
눈을 감으면 문득 그리운 날의 기억
아직까지도 마음이 저려오는 건
그건 아마 사람도 피고 지는 꽃처럼
아름다워서 슬프기 때문일 거야 아마도

Adamo -Tombe la neige

음악, 상념

https://www.youtube.com/embed/OQKSU6j1-8U

우리는 그녀의 기대에 호응하듯 유럽 전역을 구석구석 돌아다녔다. 공업용 다이아몬드를 이용한 절단 혹은 연마 제품을 유럽의 기업체에 팔러 다닌 것이다. 한 달에 이십일 정도는 길에서 보냈다. 가까운 곳은 차로, 먼 곳은 비행기로 다녔다. 먼 곳에 갈 때가 더 많았다. 어느새 프랑크푸르트 공항이 집처럼 편안하고 익숙한 곳이 되었다.

처음 두 달 동안은 호텔 방을 따로 잡았다. 그러던 어느 날, 핀란드의 수도 헬싱키에서 차로 2시간을 달려 나타난 한적한 외곽의 시골길에 우리는 차를 멈췄다. 울창한 숲에 비교해 아주 작은 팻말이 이곳이 공원 입구라는 사실을 알려줬다. 우리는 막 계약을 끝낸 상태라 홀가분한 마음으로 이정표를 따라 걸었다. 하늘을 덮을 듯, 높은 자작나무 사이로 좁은 길이 끝도 없이 나타났다.

얼마 지나지 않아 처녀림의 호수가 그림처럼 눈앞에 펼쳐졌다. 우리는 마주 보고 미소를 보냈다. 행복감이 몰려왔다. 세상은 너무도 아름답고 내 곁의 여인은 주체할 수 없을 정도로 사랑스러웠다. 호수길을 따라 온갖 모양의 버섯, 작고 달콤한 산딸기, 이름을 알 수 없는 각종 베리들이 행인을 유혹하였다. 그녀는 익숙한 듯, 산딸기와 베리를 따서 한 움큼 내게 내밀었다.

우리는 서로의 이가 까매지는 것을 지켜봤다. 저절로 웃음이 터져 나왔다. 더는 욕망의 랩소디를 숨길 수 없었다. 나는 그녀를 향한 나의 주체 할 수 없는 끌림을 묘파하고 말았다. 아내의 손을 처음 잡았다. 그리고 간절한 눈으로 그녀를 쳐다봤다. 그날 이후, 우리는 호텔 방을 하나만 사용했다.

Lyrics

Tombe la neige
Tu ne viendras pas ce soir
Tombe la neige
Et mon cœur s'habille de noir
Ce soyeux cortège

Tout en larmes blanches

L'oiseau sur la branche

Pleure le sortilège

Tu ne viendras pas ce soir

Me crie mon désespoir

Mais tombe la neige

Impassible manège

Tombe la neige

Tu ne viendras pas ce soir

Tombe la neige

Tout est blanc de désespoir

Triste certitude

Le froid et l'absence

Cet odieux silence

Blanche solitude

Tu ne viendras pas ce soir

Me crie mon désespoir

Mais tombe la neige

Impassible manège

Mais tombe la neige

Impassible manège

Lara Fabian - Je suis Malade

음악, 상념

https://www.youtube.com/embed/dVvlmpo5g9k

프랑크푸르트 공항까지는 채 20분이 걸리지 않았다. 가는 동안 나는 몇 번이나 울컥거리며 눈물을 쏟았지만, 예상대로 운전사는 내게 눈길 한번 주지 않았다. 결국, 우리는 그 흔한 인사말 <당케>라는 말 한마디 없이 헤어졌다. 덕분에 나는 팁을 아꼈다. 그리고 차 바닥에 흘린 콧물에 대한 양심의 가책도 느끼지 않았다.

빗줄기는 더욱 굵어졌다. 하지만 나는 천천히 여행용 가방을 끌었다. 이마와 얼굴, 어깨에 쏟아지는 빗물이 차가웠지만 따스하다고 느꼈다. 고개를 들어 빗물에 흐린 눈으로 하늘을 쳐다봤다. 시멘트 빛 하늘 사이로, 항공기들이 짙은 연무를 달고 각자의 방향으로 흩어졌다. 어쩌면 이제 이 땅에서의 마지막 연이 끝나가고 있었다. 한줄기 회오리바람이 사정없이 뺨을 갈기고 달아났다. 나는 폐부 깊숙이 공기를 들이마셨다. 마치 담아두기라도 하듯.

익숙한 곳이지만 오랜만에 공항에 왔다. 하지만 달라진 곳이 별반 없으므로 여전히 안락하고 느긋했다. 30년간 몸에 착 달라붙은 습관대로, 엘리베이터와 에스컬레이터를 번갈아 타고 전망대로 올라가, 맥도날드에서 값싼 커피를 주문했다. 그리고 한 층 내려와 서점 앞 가판대에서 신문을 사고, 다시 내려와 출국 절차를 밟았다.

수속을 마친 나는, 독일에서의 마지막 문자를 딸들에게 보내고, 홍콩 경유 제주도행 비행기에 몸을 실었다. 내 나이 스물에 홀로 섬을 떠난 나는, 서른에 한국을 떠났고, 육십이 넘어 다시 혼자 고향 섬으로 돌아가는 것이다. 그런데 마치 며칠 만에 가는 듯한 느낌이었다. 어머니의 배웅을 받으며 공항행 버스에 올라탄 게 마치 엊그제처럼 선명하다. 무수하게 많은 초록색 나뭇잎들이 차창을 스쳤고 시리도록 하얀빛이 도로에 가득하였다.

돌아보면, 사랑, 청춘, 미래, 기대, 희망 같은, 딱히 정의하지 않아도 설레는 단어들 속에 싸여 있었던 시절이었다. 하지만 이제 나는 죽음, 불안함, 늙음, 그리움, 후회, 빈뇨증과 강박신경증을 안고 돌아왔다. 내 앞에 드리워진 어슴푸레한 땅거미를 보는 것이다.

10cc - I'm Not In Love

음악, 상념

https://www.youtube.com/embed/STugQ0X1NoI

비행기는 천천히 움직이며 활주로 출발선으로 들어섰다. 어느새 비는 그치고, 설핏 밝은 햇빛이 보이는가 싶더니 짙은 안개가 몰려왔다. 변덕스럽기 짝이 없는 독일 날씨는 떠나는 날까지 기대를 저버리지 않았다. 삽시간에 세상이 회색으로 덧칠해졌다. 바람과 거친 빗방울이 거세게 창을 두드린 공항 대기실에서의 불안한 기분을 생각하면,

지금은 마치 시간 여행을 떠나는 듯 몽환답기까지 하였다.

점멸등이 길쭉하게 세로로 반짝이며 흐린 시야에 잠시 들어왔다 이내 사라졌다. 공항 터미널 빌딩은 어른거리는 흔적으로만 남아 서서히 뒤로 물러났다. 이윽고 지독한 굉음이 시작되었다. 기체는 빨라지고 동시에 흔들렸다. 그리고 나의 어깨도 등받이에 찰싹 달라붙었다. 몸은 기울어지고 긴장감이 솟구쳤다. 이제 적응할 때도 되었건만, 언제나 비행은 두려움으로 시작하였다.

얼마 지나지 않아 나는 구름 위에 올라섰다. 그곳은 평온하기 그지없어 보였다. 조금 전의 혼란스러움을 생각하면 계면쩍기까지 하였다.

나는 내 삶의 에필로그를 고향 섬에서 그려내기로 무수

히 작정했다. 비릿한 바람결에 언덕을 하나만 넘어도 짙푸른 바다가 눈부시게 펼쳐진 곳. 그 바다에 점같이 박혀있는 크고 작은 배들. 바람과 갈매기. 굳이 설렐 것 없이 늘 눈만 들면, 내 앞에 놓인 투명한 하늘. 그 하늘이 맞닿은 같은 색의 바다.

나는 수평선 위아래로 엷게 펼쳐진 구름을 본다. 그리고 바닷냄새. 그 냄새는 세월이 가면 갈수록 잊히기는커녕, 더욱 두텁고 딱딱하게 내 그리움의 생채기에 더하였다.

그리고 바다가 온전히 푸름과 붉음으로만 대비되는 동터오는 여명. 그 새벽의 스산한 바람이 손바닥만 한 창을 토닥토닥 두드리면, 나는 잠결에, 어른거리는 꿈 자락을 뒤로한 채, 불어 터진 오줌보를 부여잡고, 비실거리며 꿀렁거리는 비닐 장판에 놓인 요강을 찾았다.

그때쯤이면, 아버지는 이미 집을 비웠고, 어머니는 부엌에서 나무 타는 냄새로, 또 하루를 시작하였다. 타닥타닥 타는 소리. 그르렁 가마솥 뚜껑 여닫는 소리. 모락모락 피어오른 구수한 밥 냄새. 나는 누운 채, 가려운 엉덩이를 손으로 긁적이며 입맛을 다신다.

학교가 파하면 마을 안길을 걸어 남루한 옷의 친구들과 포구에 닿아, 바닷바람에 꾸덕꾸덕 말라가는 생선 비린내에 취하고, 일렁이는 물결에, 흔들거리는 돛단배에 어지러움을 더해도, 검은 돌 들춰내어 황급히 달아나는 엄지손톱만 한 게나 보말을 잡아 빈 도시락에 한가득 채우고선, 애당초 슬픔이란 존재 하지도 않는 듯이 까불고 장난치며 보내면, 어느새 바람은 세지고, 따갑기만 하던 햇살도 비실대면, 그제야 생각난 듯 서로의 집으로 흩어졌다.

나의 유년 시절이 오롯이 아로새겨져 있는 곳으로, 긴

우회 끝에 결국, 나는 돌아가고 있다. 팽팽했던 청년은 이제 목덜미에 주름살이 깊게 팬 중년으로 변했다. 다리는 가늘어지고 배는 볼록 나왔다. 눈은 흐리고 굵은 돋보기안경이 걸쳐졌다. 이마에는 따가운 햇볕이 그려놓은 세월의 흔적이 선명하다. 청년의 얼굴은 사진에만 존재한다.

그리고 변한 건 내 고향도 마찬가지다. 나의 동네는 더는 내 기억을 확인시켜 줄 만큼 변하지 않은 곳이 남아 있지 않았다. 사실 느꺼운 기분에 앞서 이질감이 맴돌았다. 나는 고향 땅을 밟지 않고도 구글 맵을 통하여 내 유년 시절의 마을을 이미 샅샅이 뒤졌다.

내가 살던 집은 회색과 갈색으로 치장한 세련된 호텔로 바뀌었다. 사실 이곳이 내 집터라는 것을, 위성 사진과 주변 사진을 수십 번 확인한 끝에 겨우 알아챘다. 내 집을 둘러 병풍처럼 늘어선 솔숲은 절반은 깎여 잔디가 되었고, 나머지는 호텔을 수식하는 조명을 치렁치렁 단 모습으로 장식되었다.

호텔 입구 테라스에 목재 원형 테이블과 의자 그리고 파라솔이 일렬로 쭉 늘어선 광경이나, 단아한 색을 입힌 발코니의 사진은, 내가 수십 년간 떠돌던 이국땅의 풍경과 똑 닮아 있었다. 주변 모습도 별반 다르지 않았다. 도대체 바다와 산을 제외하고 바뀌지 않은 모습을 찾기란 거의 불가능해 보였다.

그런데도 돌아가고 싶었다. 낯선 곳에 낯선 얼굴의 내가, 맞닥뜨릴 기대와 우려를 뛰어넘는, 알 수 없는 끌림이 있었다. 아니 어쩌면 알 수 있을지도 모르겠다. 내 마음 한쪽을 회한의 그리움으로 항상 무겁게 눌러주던, 처음으로 마음이 가던 여인. 바다를 배경으로 그녀는 활짝 웃고 있었다.

Lyrics

I′m not in love

So don′t forget it

It′s just a silly phase I′m going through

And just because

I call you up

Don′t get me wrong,

Don′t think you′ve got it made

I′m not in love, no no,

It′s because.

I like to see you

But then again

That doesn′t mean you mean that much to me

So if I call you

Don′t make a fuss

Don′t tell your friends about ″the two of us″

I´m not in love, no no,

It´s because.

Be quiet, Big boys don´t cry

Big boys don´t cry

Big boys don´t cry

Big boys don´t cry

Big boys don´t cry

Big boys don´t cry

I keep your picture

Upon the wall

It hides a nasty stain that´s lying there

So don´t you ask me

To give it back

I know you know it doesn´t mean that much to me

I´m not in love, no no,

It´s because.

Ooh, you´ll wait a long time for me

Ooh, you´ll wait a long time

Ooh, you´ll wait a long time for me

Ooh, you'll wait a long time

I'm not in love

So don't forget it

It's just a silly phase I'm going through

And just because I call you up

Don't get me wrong,

Don't think you've got it made

I'm not in love

I'm not in love

Adamo - Quiero

음악, 산문

https://www.youtube.com/embed/94eVqL37jJU

비행기는 이른 아침에 홍콩에 도착했다. 둥근 창으로 무거운 하늘이 보였다. 구름이 산 정상을 모두 덮은 채 게으르게 움직였다. 언제든 우르릉하며 비가 쏟아질 기세였다. 산 아래는 흰색의 아파트들이 우후죽순 솟아 있었다. 높은 산과 아파트. 서울과 많이 닮았다. 완만한 산과 낮은 집들로 대부분 채워진, 유럽을 떠났다는 느낌이 이제 확연히 다가왔다.

트랩에 내려서자 매캐한 경유 냄새가 습하고 무더운 공기에 묻어왔다. 홍콩은 처음이었다. 유럽대륙 구석구석, 아메리카, 심지어 아프리카와 중동 지역도 방문하였지만 정작 내 나라 근처 지역을 방문한 것은 이번이 처음이다. 그것도 환승을 위해 잠시 3시간 정도 머무는 것이니, 엄밀히 방문이라고 하기도 어렵다.

홍콩, 아니 중국은 늘 한번은 방문하고 싶었다. 중국 음식을 유난히 좋아했던 것도 한몫했을 터이다. 유년 시절, 생일날 같은 특별한 날에나 맛볼 수 있었던 짜장면. 그 오묘한 맛의 검은 음식. 잠자리에 들 때면, 짜장면을 매일 먹을 수 있을 정도로 부자가 되고 싶다는 간절함을 되뇌곤 하였다. 나이가 들수록 짜장면은 간짜장으로, 다시 삼선짜장으로, 결국에는 탕수육으로 바뀌었지만, 중화요리에 대한 식탐만큼은 식을 줄 몰랐다.

그 탓일까? 어느 날 극심한 복통으로 찾은 병원에서 쓸개염을 진단받고 결국 절제하기에 이르렀다. 하지만 기름진 음식에 대한 탐욕은 변하지 않았다. 독일에 처음 도착한 날, 그날 저녁도 한국식당에서 짜장면을 먹었으니 말이다. 10유로나 하는 턱없이 비싼 값에도 불구하고.

하지만 정작 중국으로 이끄는 힘은 중국 화폐 20위안에 그려진 <구이린> 때문이었다. 결혼 2년 후, 우리는 뒤늦게 두바이로 신혼여행을 떠났다. 주말을 끼어 겨우 5일 정도 여유가 있었던 우리는, 아직 가보지 않은 가장 가까운 곳으로 선택했다. 그리고 여행 사흘째 되던 날, 사막 투어에 지친 나는 본능적으로 기름진 음식을 찾았다.

우리는 아랍 전통 복장을 한 호텔리어의 안내에 따라 격자무늬가 선명한 대리석 바닥을 따라 걸었다. 따각따각

명랑한 소리가 발밑에서 울렸다. 창 너머에는 무성한 열대 덤불이 보였다. 이 도시는 마치 사치 속에 푹 빠진 듯하였다. 천장은 온통 반짝이는 유리였다. 그 광채 속에 얼빠진 모습으로 헤 웃고 있는 내가 담겼다.

호텔과 연결된 중국 식당은 크고 화려하기가 이를 데 없었다. 중국 박물관을 그대로 옮겨 놓은 듯했다. 화려함과 사치, 향락이 나의 밖에, 주위에, 앞에 머물렀다. 수려한 문양이 새겨진 중국 전통의상 치파오로 멋을 낸 안내원이 창가에 있는 식탁으로 우리를 이끌었다. 주문 후 아내는 나의 손을 꼭 잡고 세상에서 가장 편안한 미소를 보냈다. 초록색 입욕제를 푼 목욕물에서 나던 향기가 흘렀다.

반짝이는 연녹색 식기와 그 속을 채운 탐스러운 음식들이 차려졌다. 공간을 지배하는 음식 냄새는 꿈처럼 몽롱했다. 틀림없이 조금 전 기억은 황량한 사막이었다. 밀가

루만큼 부드러운 모래가 이글거리는 태양과 바람에 부서져 끈적거리는 피부에 달라붙어 불편을 호소하고 있었다. 새로움에 대한 탄성은 금세 유쾌하지 않은 생소함에 자리를 내줬다. 차로 도시를 조금만 벗어나도 온통 모래만 있는 곳. 마치 아무 데도 아닌 것이 끝없이 펼쳐져, 무와 유, 가능성과 의아함, 비밀과 모순이 혼재한 것처럼 느껴졌다.

그러던 어느 순간, 나는 식탁의 오른쪽 벽면을 넓게 차지한, 수묵화 같은 사진에 정신이 쏠렸다. 마치 판타지 영화에서나 등장하는 모습이었다. 병풍처럼 펼쳐진 바위 절벽과 기괴하게 솟아 있는 봉우리들. 전면에 굽이굽이 흐르는 듯 멈춘 듯한 강에는, 낮게 뜨인 운무로 인해 한없이 신비로웠다. 그리고 길고 좁은 쪽배에 창이 넓은 밀짚모자를 쓴 채 외로이 노를 젓는 어부. 온전히 자연 속에 묻힌 듯한 모습에 절로 감탄이 쏟아졌다.

하지만 정작 나의 마음을 온통 사로잡은 것은 사진 옆에 새겨진 한자였다. 鷄林 계림. 오래전부터 알고 있던 지명이었다.

“오 멋진 곳이네요. 우리 다음에 저기 한번 가요.” 아내가 나의 시선이 멈춘 곳을 훔쳐보며 말했다.
“그러게, 어릴 때 멋있는 곳이라는 얘기는 많이 들었는데, 이렇게 아름다울 거라고는 상상도 못 했네.”
“아 그, 옆집에 중국 식당 한다는 사람?”
“응, 계림 출신이라고 맨날 자랑하곤 했거든.”
“자랑할 만했네요.” 아내가 활짝 웃으며 말했다.

La chanson d'Hélène

음악, 상념

https://www.youtube.com/embed/VsWZcwPL7-Q

2시간을 기다린 끝에 홍콩발 제주도행 비행기에 탑승했다. 나의 자리는 일반석 맨 앞줄 복도 쪽이다. 언제부터인가 고정석처럼 앞줄 복도 쪽만 예약하였다. 창가 쪽을 좋아함에도 불구하고. 가장 큰 이유는 전립선이 비대해지면서 생긴 잦은 빈뇨 때문이다. 조금이라도 화장실 가까이, 그러면서 옆 승객에게 불편을 주지 않는 자리가 점점 필요해진 것이다.

또 한 가지 이유를 굳이 들자면, <관찰의 기쁨>이라고 할 수 있다. 나는 언제부터인가 사람들을 유심히 쳐다보게 되었다. 나는 흐르는 인파에 끼어들어 낯선 혼잡을 즐기듯 바라보거나, 카페나 식당 혹은 테라스에 앉아, 늦은 오후의 햇살을 받으며 몇 시간이고 행인들을 쳐다보곤 하였다. 항공기 내에서도 예외는 아니었다. 나는 승무원들과 그들이 상대하는 승객들의 행동을 유심히 쳐다보고 오가는 말들은 경청하곤 했다. 언제부터 이런 버릇이 생겼는지는 알 수 없다. 확실한 건 내 가족이 하나둘 곁을 떠나면서, 관찰의 버릇은 점점 더 늘어났고 집요해졌으며, 이제는 하루 중 많은 시간을 이렇게 보낸다는 것이다.

나는 내 시야 속으로 들어온 그들을 보며, 그들의 인생을 상상한다. 그들의 웃음을 지켜보며 사랑을 추측하고,

무심한 표정에서 삶의 고통을 살펴보고, 오가는 말들에서 사람들의 관계를 짐작하곤 하였다. 그리고 추측한 그들의 인생을, 나의 기억 속에 채워 넣으며 희로애락을 담은 이야기를 지어내곤 하였다. 나는 내 삶의 마지막 날에, 내가 상상한 인생 속에 둘러싸인 채 잠들고 싶다는 생각을 종종 하곤 했다.

기내는 빈자리 하나 없이 승객들로 가득하였고, 공간은 장터에 온 듯한 소음으로 채워졌다. 대부분 중국인 관광객처럼 보였다. 그들은 대부분 수수하고 가벼운 옷차림에, 기대나 흥분 혹은 즐거움을 머금고 있었다. 알아들을 수는 없으나, 연인이나 가족, 친구처럼, 친숙한 사이에서 오가는 가벼운 톤의 대화들이 나를 미소 짓게 하였다.

내 옆에는 중년의 남자와 그의 어린 자식 둘이 나란히 앉았다. 어린이들은 기내가 익숙한 듯, 이어폰을 끼고 전면에 붙은 태블릿 PC를 손으로 꾹꾹 눌러 그들이 원하는 애니메이션에 금방 빠져 버렸다. 내 옆의 남자는 신발을 벗고, 미리 준비한 실내화를 신더니, 비행기가 이륙하기 전인데도, 비스듬히 누워 눈을 감았다.

나는 수도 없이 많은 종류의 비행기를 타고, 기대치보다 훨씬 많은 시간을 공중에 떠 있었지만, 여전히 이륙과 착륙을 준비하는 시간에는 긴장을 멈출 수가 없다. 특히 이륙 때는 나도 모르게 등에서 식은땀이 흐르고, 마치 물에 빠지기라도 한 듯, 좌석 손잡이를 손으로 꽉 움켜쥐곤 하였다. 아내는 언제나 그런 나의 모습을 신기해하고 따뜻한 위로를 보내곤 하였다. 결혼 전, 그러니까 그녀의 입사 후 첫 해외 출장으로, 영국 런던행 비행기에 올랐을 때였다. 이륙 전, 딱딱하게 굳어가는 나의 표정을 처음 확인한 그녀는, 작고 깡마른 손을 나의 어깨에 살포시 얹고는, 마치 어린 아들을 쳐다보는 어머니 같은 눈길을 보내 주었다.

나는 그 순간, 그녀의 작은 품속에 푹 파묻고 싶다는 강렬한 욕구를 느꼈다. 그녀의 작은 손짓 하나만으로, 내 속을 채우던 불안이 사라지며 미처 경험하지 못한 안도감이 생기는 것을 느낄 수 있었기 때문이었다. 나는 그때 무엇인가를 깨달았다. 고향을 떠난 후, 내가 얼마나 사랑을 갈구하는지를. 마치 한파 속에 부드럽고 두툼한 외투를 건네받은 듯하였다. 나는 영업전문가로서, 치열한 세상에서 처절하게 뛰면서 살았다. 나는 스스로 냉소적이며 속물적인 인간으로 나를 포장하고, 그런 기만적 확신 속에, 세상을 무의미하게 바라보곤 하였다.

나는 주고받는 계산속의 나에게 길들었고, 현대인이라면 이미 흔한 냉랭함을 넘어 경쟁자의 고통을 은근히 기대하는 일종의 사디즘적인 단계로 진행하고 있음을, 가끔 놀라듯, 자신을 바라보곤 하였다. 홀로 자신의 양심을 후벼 파는 그런 단계 말이다. 어쩌면 자신을 냉혈한으로 만드는 절망적인 냉담함 속에 묻혀 있었는지도 모르겠다.

하지만 나는 이제 그녀의 손에서 전해진 따스함에, 그 다정함의 창을 통해 그 너머의 사랑을 보았다.

https://www.youtube.com/embed/btzPW3_3uHg

Famous blue raincoat

음악, 상념

Leonard Cohen - Famous blue raincoat

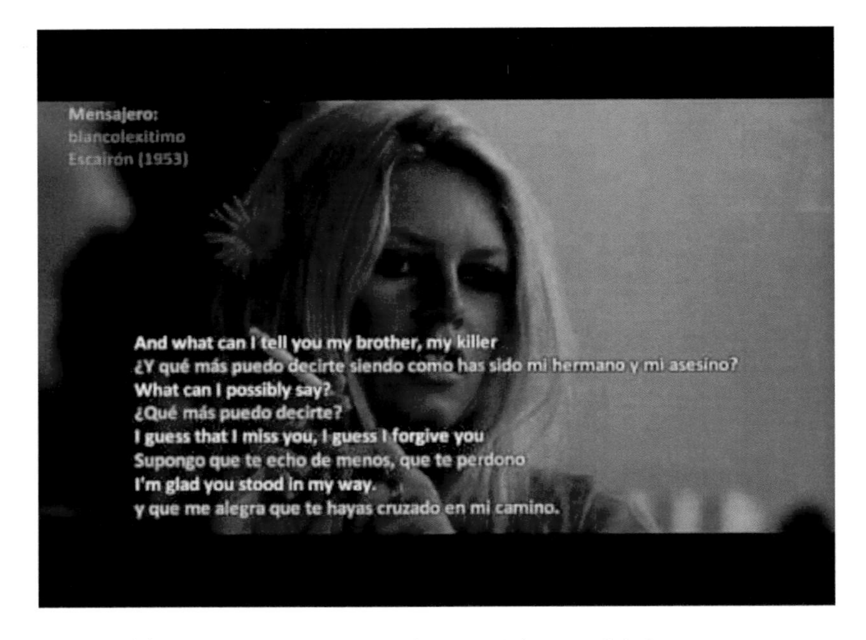

https://www.youtube.com/embed/u_4f1kk9wsg

바로 앞 출구 옆에, 여승무원 한 명이 벽에서 간이 의자를 빼더니 앉았다. 안전띠를 한 그녀는 잠시 생각에 잠기는 듯하더니 이내 시선을 승객 쪽으로 돌렸다. 나와 눈이 마주치자 입꼬리를 살짝 올리며 눈웃음으로 대답했다.

얼마 지나지 않아 머리 위 노란 경고등이 꺼졌다. 엔진 소리에 잠시 한눈을 팔았다. 작은 타원형 창으로 반짝이는 햇살이 건너와 실내를 밝히며 아주 천천히 움직였다. 각자의 자리에 앉았던 승무원들은 안전띠를 풀고 익숙하고 빠른 몸놀림으로 기내식을 준비하기 시작했다. 중저음의 엔진 소리 속에 아이 울음과 승무원의 대화 소리가 묻어났다. 간이 키친 영역을 표시하는 커튼이 들락거리는 승무원 사이에 춤을 춘다.

"안녕하세요. 고객님, 저희 항공을 애용해주셔서 감사합니다. 저는 한국인 승무원 송안나입니다." 갑자기 여승무원 한 명이 내게 성큼 다가오더니 유창한 한국말로 인사를 하였다. 예상하지 못한 상황이었다. 조금 전 내게 미소를 띠던 그녀였다. 홍콩 항공기에 한국인 승무원이 있을 줄은. 그런데 사실 더 놀란 거는 내가 한국 사람이라는 것을 어떻게 알았을까 하는 거였다. 하지만 나의 의문은 금방 풀어졌다.

"고객님이 탑승하신 분 중 유일한 한국인이십니다." 나는 적잖게 놀라지 않을 수 없었다. 실내는 빈자리가 없이 꽉 들어찼다. '그럼, 여기 탄 승객들이 모두 중국인이란 말인가?' 제주도에 중국인 관광객들이 몰린다는 소문을 이제 현실로 실감하게 되었다.

그녀는 내게 기내식 메뉴를 보여주었다. 나는 딤섬을 포함한 메뉴를 선택했다. 돌아서는 모습을 시작으로, 나의 시선은 그녀를 쫓기 시작했다. 그녀의 표정에 왠지 모를 정감이 느껴졌다. '동포라서 그런가?' 하지만 외양에서 다가오는 느낌은 다른 승무원과 별반 다르지 않았다. 미소와 행동, 표정과 걸음에서, 이성으로 분석할 수 없는, 묘한 끌림 같은 것을 감지하였는지도 모르겠다. 아무튼,

나의 시선은 온통 그녀에게 쏠리고 말았다.

그녀가 기내식을 건넸다. 나는 그 순간, 묘하게 올라간 그녀의 입꼬리에 익숙함을 느꼈다. 소녀는 짜장면 두 그릇을 익숙하게 식탁에 놓았다. 시내에 있는 중학교를 어머니와 함께 처음 방문한 날. 나의 자취방을 알아보던 중, 학교 근처 중식당에 들렀다. 주방에선 떠들썩한 중국말이 들려왔다. 늦은 오후라, 손님은 우리뿐이었다. 나는 짜장면 곱빼기를 걸신들린 듯이 먹어 치웠다. 포만감이 즐겁게 밀려왔다. 그리고 나는 뒤늦게 벽에 붙은 종이를 발견했다. <방 있음>. 나는 고등학교까지 6년을 그곳에서 살았다. 중국 식당 옆 다세대 주택 지하 방. 소녀는 나와 같은 학교 같은 학년이었다. 아쉽게도 같은 반은 되지 못했지만, 6년을 알고 지냈다.

그녀는 로맨틱 요소가 강한 문학 서적들을 늘 끌어안고 다녔다. 그녀의 몸에는 항상 들척지근하고 달콤한 양파 냄새가 풍겼다. 그리고 암청색의 예쁘장한 블라우스를 즐겨 입었다. 그녀 위로 오빠가 세 명 있었다. 가족 모두 식당 일을 도왔다. 아니 종사했다. 그녀는 오빠들의 짓궂은 장난 속에, 방과 후면 언제나 식당 홀을 지키며, 줄곧 의미심장하면서 생경한 쾌활함 속에 사는 듯 보였다.

그녀는 가족 중 가장 말랐다. 그녀는 살이 좀 투실투실하면서도 세련된 끌림을 간직하고 있었다. 나는 한 달에 한 번, 집에서 받은 용돈으로 짜장면을 먹었다. 행복한 순간이었다. 그녀가 내려놓은 짜장면과 미소. 갈수록 그녀에게 끌렸다.

성산이 보이는 바닷가. 고향에서의 마지막 봄. 백일장. 나는 비로소 그녀를 발견했다. 그녀는 감상적인 상태로 한동안 바다를 바라보고 있었다. 옆에 놓인 원고지가 바람에 까닥거렸다. 구름 한 점 없이 맑았다. 세상은 온통 하늘과 바다, 바람과 햇빛뿐이었다.

"저기 사진 한 장…. 어때?" 그녀가 돌아섰다. 그리고 활짝 웃었다.

https://www.youtube.com/embed/iMEyZLhq_9U

Dido - Thank You

음악, 상념

https://www.youtube.com/embed/1TO48Cnl66w

"저 혹시 노트와 펜을 얻을 수 있을까요?" 나의 취미 중 하나다. 항공사에서 제공하는 노트와 펜은 디자인이 좋다. 게다가 무료다. 나는 사랑하는 사람에게 뭔가를 보낼 때는 꼭 편지를 동봉한다. 물론 항공사에서 받은 노트를 이용한다. 대부분 짧은 글이지만 쓸 때마다 기분이 좋아진다.

"제주도로 돌아가시는 길인가요?" 그녀는 내게 노트와 편지 봉투, 펜을 건네주며 물었다. 비행이 거의 끝나가고 있었다.

"네, 그렇죠. 아주 많은 시간이 지났지만…. 40년 만에요."

"와우!" 그녀의 놀란 듯한 표정이 재미있다.

"그럼 그동안은?"

"육지에 한 10년, 독일에서 한 30년 정도 살았죠."

"그럼 제주도가 고향이시네요?"

"네, 그렇죠." 그러자 그녀는 손을 내밀며 악수를 청한다.

"고향 분을 뵙게 되어 반갑습니다."

"아, 그럼?"

"네, 저는 일곱 살까지 제주도에 살았어요." 그녀가 말을 이으려는 순간 승객 한 사람이 그녀에게 다가왔다. 빠른 중국 말이 오고 갔다. 그녀는 잠시 자리를 피했다.

얼마 지나지 않아 그녀가 돌아왔다.

"위성 사진으로 미리 좀 봤는데, 동네가 너무 많이 바뀌었어요."

"네, 많이 바뀌었죠. 저는 어릴 때라 기억이 잘 나지 않지만요…." 그녀는 고개를 끄덕하였다.

"은퇴 후, 고향에서 살기로 작정하고 가는 건데…. 모르겠어요. 고향에 간다는 느낌이 별로 안 드네요. 마치 외국 같은…."

"그럼 친척이나 친구분들은 좀 계시고요?" 그녀의 물음에 나는 고개를 설레설레 저었다.

"부모님 돌아가시고 형제들은 모두 서울에 살고…. 이북 출신이라…. 한번 찾아봐야죠. 뭐 딱히 소일거리도 없는데."

"친구분들은 좀 계시지 않을까요?"

"사실, 좀 궁금한 사람이…." 나는 지갑을 펼쳐, 그녀에게 오래된 사진을 내밀었다. 온통 푸른 하늘과 바다. 그

속에 담긴 눈부시게 맑은 미소의 소녀. 나는 사진을 보고 있는 안나를 바라본다. 호기심이 다분한 표정. 그녀의 미소 속에, 찰나와도 같이, 많은 감정이 흐른다. 당혹스럽게 많은 이야기가.

“옆집 친군데…. 고등학교까지 줄곧 같은 학교에 다녔어요.” 그녀는 사진에서 눈을 떼지 않는다. 고개만 까닥거린다. 표정이 이상하게 무거워진다.
“구이린 출신이라고 엄청나게 자랑했어요. 물론 구이린은 잘 아실 테고….” 여전히 그녀는 사진에 박혀있다. 마치 사진 속의 세상으로 떠난 듯, 움직임이 사라졌다.

딩. 딩. 딩. 착륙 경고등이 켜졌다. 그녀는 멈칫하더니 자신의 자리에 가서 앉았다. 안전띠를 하자 기내 방송이 들렸다. 비행기는 다양한 소리를 내기 시작했다. 좌측 우측 한 번씩 기우뚱거리더니 이내 평형을 잡았다. 바다가 삽시간에 나타났다 사라졌다. 긴장이 몰려왔다. 아내가 그립다. 바다를 닮은 그녀의 눈동자가 그립다. 그녀의 작은 손이 내 손등에 닿는 포근함이 더욱 그립다.

나는 맞은편에 앉은 안나를 불안한 눈빛으로 쳐다봤다. 그녀는 고개를 조금 떨구고 있었다. 한 손에는 여전히 나의 사진이 들려있다. 구름이 빠른 속도로 창을 비껴갔다. 지상으로 가까울수록 세상은 점점 빨라졌다. 이윽고 활주로에 다다른 듯, 녹색과 회색 활주로가 잽싸게 지나간다. 쿵 쿵 하고 몇 번의 소리와 함께 기체가 흔들리다 부르르 떨며 굉음을 내질렀다. 순간 나도 모르게 안도의 한숨이 터져 나왔다.

그녀가 나를 쳐다봤다. 이슬이 맺혔다. 나는 그 순간, 따스함을 느꼈다.

The Way We Were

음악, 상념

Barbra Streisand - The Way We Were

https://www.youtube.com/embed/hkBziLvefsw

나는 길게 하품을 하고 기차에서 내렸다. 마치 작은 문을 열고 밖으로 밀려 나가는 느낌이었다. 눈시울이 가득 찬 눈물로 뜨거워졌다.

무척 작은 역이었다. 주위를 둘러보니 나 혼자였다. 겨울의 해는 이미 사라졌다. 어둡고 황량하고 을씨년스러웠다.

나는 깃을 세웠다. 찬바람이 세차게 코끝을 스쳤다. 바람 속에 뭔가 타는 냄새가 났다.

모든 것이 그 상태로 오랫동안 멈춘 듯하였다. 낯설지만 어딘가 익숙하였다. 눈은 생소하지만, 가슴은 이미 품고 있었다.

네거티브 필름. 모든 열망이나 희망이 사라진 세상. 도회

적 감성은 어디에도 느낄 수 없다.

나는 지금까지 운명을 그냥 그대로 받아들이며 살아왔다. 되짚고 고민하는 불편한 현실과 엄숙함의 영역을 거부하였다. 자신 속의 절대 가치를 부여하고 나머지는 배제해 버렸다. 그리고 유아론적인 앎을 견지하였다. 다시 말해 상실의 두려움과 획득의 기쁨을 배제하는 것이다.

나는 노력을 그다지 하지 않았고 기대치를 늘 낮게 잡았다. 자신의 욕망을 낮추는 것. 내가 할 수 있는 최소한의 것만을 하는 것. 늪 같은 단조로운 일상에 길드는 것. 그 어떤 것도 곱씹지 말 것. 억측이나 과장은 그냥 내다 버릴 것. 내 모든 비참을 마주하는 것. 현실과 낭만의 괴리는 애초 존재하지 않는 것.

그것뿐이다. 삶 그 자체를 다른 어떤 것에도 견주지 않았다. 당위를 휴지 조각처럼 내팽개치는 존재.

그저 내가 가진 사치라면, 한 달에 한 번 혹은 두 번 정도, 모르는 여인과 섹스하는 것뿐이었다.

나에게 있어서 하나하나의 섹스는 다른 모든 욕망과 똑같았고 하나하나의 욕망은 다른 모든 사랑의 표현과 마찬가지였다. 만남의 설렘과 그 기억들, 느낌이 내 삶의 행간을 채우고 있다. 결국, 나는 섹스 외에는 어떤 것도 불안과 우울 속에서만 지내게 되었다.

나는 그녀에게 나의 도착 사실을 메신저로 알렸다. 잠깐 답변이 오기를 기다렸다. 하지만 아무런 대꾸가 없었다. 그녀의 대답은, 내가 점점 가까이 그녀에게 다가갈수록 느려지고 짧아졌다.

진추하 - One Summer Night

음악, 상념

https://www.youtube.com/embed/xMgWyOuqKFY

나는 목을 움츠리고 서둘러 대기실을 빠져나왔다. 작지만 그런대로 형식을 갖춘 둥근 광장이 펼쳐졌다. 잠든 분수와 외로운 조각상이 중앙에 있다.

하긴 어디를 간들 늘 이런 식이다.

행인은 거의 드물었다. 노랑 등을 단 빈 택시만 차갑게 줄지어 정차되어 있다. 보이는 것 모두 왜소해 보였다.

세 갈래로 갈라진 앙상한 가로수 길이 어둠 속에 누웠다. 느닷없이 포르쉐 한 대가 거친 굉음을 내며 광장 앞 대로를 지나 우레같은 반향을 안기며 어둠 속으로 사라졌다.

나는 잠시, 어디로 방향을 잡아야 할지 고민을 하였다.

낯선 도시는 늘 생경한 호기심과 다소 번거로운 혼란을 주었다. 나는 휴대전화기를 꺼내 내비게이션을 들여다보며, 호텔을 눈대중으로 짚어 나갔다.

대략 20분 정도 걸으면 도착할 수 있는 거리였다. 방향만 잘 잡는다면 말이다. 나는 가방에서 마알록스 한 봉지를 꺼내 모서리를 찢어서 입으로 쭉 빨아 먹었다.

나는 광장을 가로질러 좁고 불퉁한 돌로 만든 길을 따라 천천히 올라갔다. 다행히 내비게이터가 그어준 녹색 선을 따라 나는 가고 있었다.

행인은 눈을 씻고 봐도 보이지 않았다. 북유럽의 어느 지방을 가더라도 늘 똑같다. 겨울의 밤은 무척 이른 시간에 시작하고 사람은 항상 눈에 띄지 않았다. 고요한 밤의 숨결만이 흐른다.

그저 바람과 가로등, 낙엽 밟는 소리와 한 번씩 울리는 경적이나 사이렌 소리뿐이었다.

약간 가파른 길을 올라갔을 때쯤, 그녀에게서 답장이 왔다.

"네."

나는 가던 길을 잠시 멈추어 선 채, 그녀의 답장이 주는 의미를 생각했다.

'만나기 싫다는 뜻인가?'

하지만 만남을 제안한 것은 그녀였다. 채팅을 시작한 지 이틀도 되지 않아 그녀는 자기 주소를 내게 전달했다.

"언제든지 찾아오세요. 기다릴게요."

"이번 주말에도 괜찮을까요?"
"네, 그럼요."
"정말, 찾아가도 될까요?"
"네. 오세요."
"그럼 이번 일요일에 집으로 찾아가겠습니다."
"네. 근데 집에는 여동생과 어린 딸이 있어요."
"그럼? 집 근처 호텔로 할까요? 어차피 식당은 코로나로 모두 닫았을 테니까."
"네. 그게 좋겠네요. 근데 호텔도 닫지 않았을까요?"

"비즈니스 업무라고 둘러대면 됩니다. 어차피 호텔도 손님은 유치해야 하니까요."
"아. 네. 그럼 오세요."
"같이 잘 건가요?"
"네."

Amy Winehouse - Back To Black

음악, 상념

https://www.youtube.com/embed/TJAfLE39ZZ8

나는 그녀에게 지금이라도 만나는 게 망설여진다면 돌아갈 수 있다는 메시지를 보내려고 하다가 그만두었다. 괜히 도를 넘는 느낌이 들었기 때문이다.

나는 다시 길을 재촉했다. 약한 경사의 오르막길이 꼬불꼬불 계속 이어졌다. 숨이 차고 목에는 땀이 맺혔다. 코듀로이 바지 속 팬티가 어느 순간부터 말려가기 시작했다.

언덕 정상에 오르자, 목재 외장 집들이 하나둘씩 나타났다. 복층의 전원주택도 눈에 띄었다.

붉은 볼보 스테이션왜건과 남청색의 포드 익스플로러, 크림색 MG 헥터, 흰색 마쓰다 미아타가 나란히 세워져 있었다. 나는 그사이에 엉거주춤 서서 바지 지퍼를 내리고 오줌을 누었다.

==================

여인은 또랑또랑한 얼굴이었다. 그리고 따스함을 주는 짙은 피부색을 지녔다. 하지만 얼굴의 굴곡과 세세한 특성은 분명 기품이라곤 전혀 보존할 수 없는 천박함이 묻었다.

그녀가 입고 있는 밝은색의 헐렁한 옷 속으로 부드럽고 축 처진 살덩이를 아무렇게나 밀어 넣은 듯한 느낌이 들었다.

얇은 귀에는 크고 둥근 귀걸이가 대롱거렸다. 낡은 검정 가죽 멜빵에 가슴판이 있는 작업복 청바지를 입었다.

좁고 누추한 호텔이었다. 아무도 없었다. 거치적거릴 것 없는 안내 데스크에서 우리는 잠시 머뭇거렸다. 벽에는 먼지가 잔뜩 뒤덮인 낡은 파이어 아일랜드 사진이 붙어 있다.

이윽고 남자가 나타났다. 그는 갈색 스웨이드 재킷을 끼듯이 입고 있었다. 키가 작달막하고 오지랖 넓고 얄팍한 모습이었다. 마치 전체주의자에 길든 모습이었다. 그는 광대뼈가 앙상하게 드러난 얼굴을 히죽거리며 여자와 나를 번갈아 쳐다봤다.

"빈방이 있나요?"
"있습니다만, 단속이 한층 강화되었어요. 당신들은 누가 봐도 비즈니스 업무로 온 것은 아닌 게 확실하군요…."

남자는 비웃는듯한 표정으로 나를 빤히 쳐다봤다. 어쩌면 다이앤 아버스의 기괴한 사진에나 나올 법한 표정이었다. 어딘가에서 글렌 굴드가 연주하는 골드베르크 변주곡이 흘러나왔다. 팀파니 소리가 선명했다.

우리는 말없이 호텔을 나왔다. 바람 소리에 혼란이 가득했다.

"당신 집으로 갑시다."
"하지만…. 방이 달랑 하나에요."
"저는 거실에서 자겠습니다. 어차피 몇 시간 자지도 못할 겁니다. 첫차로 올라갈 거니까요."
"하지만…." 나는 지갑을 꺼내 50유로짜리 지폐 석 장을 꺼냈다. 그리고 그녀의 손에 쥐여 주었다.

Lyrics

He left no time to regret
Kept his dick wet with his same old safe bet

Me and my head high

And my tears dry

Get on without my guy

You went back to what you know

So far removed from all that we went through

And I tread a troubled track

My odds are stacked

I'll go back to black

We only said goodbye with words

I died a hundred times

You go back to her and I go back to

I go back to us

I love you much, it's not enough

You love blow and I love puff

And life is like a pipe

And I'm a tiny penny rolling up the walls inside

We only said goodbye with words

I died a hundred times

You go back to her and I go back to

We only said goodbye with words

I died a hundred times

You go back to her and I go back to

Black

Black

Black

Black

Black

Black

Black

I go back to

I go back to

We only said goodbye with words

I died a hundred times

You go back to her and I go back to

We only said goodbye with words

I died a hundred times

You go back to her and I go back to black

김수철 - 못다핀 꽃한송이

음악, 상념

https://www.youtube.com/embed/mvM1ffIzdkeg

그녀의 손을 잡고 방에 들어가는 순간, 나는 교도관처럼 그녀의 삶을, 놓인 물건으로 해석하고 일별한다.

값싼 새앙 가루 팩이 놓여있다. 헝겊 인형이 보였다. 그리고 길비스 드라이 진과 버무스, 봄베이 사파이어, 소비뇽 블랑 빈 병이 장식품처럼 올려져 있다.

여자는 자기 방 문간에 서 있다.

발을 녹색 발판에 문질러 구두에 묻은 흙을 털었다. 나는 나의 데크 슈즈를 가지런히 놓았다.

외투 자락을 벗어, 작고 뭉툭한 소파로 던졌다. 내 무게의 대부분이 쑥 빠져나가는 듯하였다.

아기는 잠이 들었고 동생은 보이지 않았다. 벽지는 모서리마다 부풀어있다. 벨벳 커튼이 암울하게 걸려 있다. 끈적거리는 욕망이 사방에서 삐져나온다.

노란 조명 아래, 방의 모든 것이 죄스럽다는 듯이 속삭인다.

유리에 비친 나의 모습은 일그러져있다. 인간이 구축한 시스템에는 늘 부정적인 모습이다. 얼굴은 닳고 더러워지고 주름이 잡혀, 여행 중에 끼고 있던 장갑처럼 늘어나 버렸다.

나는 화장실로 가서 준비해온 휴대용 리스테린으로 입을 헹궜다. 나는 다른 사람보다 입 냄새가 심한 편이었다.

어느새 테이블에는 값싼 와인병과 잔이 놓였다. 소파 끝에는 이불도 보였다. 여자는 TV를 틀고 모든 조명을 껐다. TV에는 노르딕트랙 러닝머신 광고가 펼쳐졌다. 우리는 소파에 앉아 오래된 연인처럼 살포시 안았다.
부드러운 캐시미어 스웨터가 따스함을 전해주었다. 나는

스웨트셔츠를 힘들게 벗었다. 땀내가 물씬 풍겼다.
상처와 털을 민 자국, 약간 출렁이는 허벅지가 유혹한다.
유리잔 속의 얼음이 빛을 낸다. 음울하지만 욕정이 배어
있다. 담배 연기가 미세한 안개처럼 떠오른다.

싸구려 화장품 냄새와 곰팡내, 땀내가 절묘하게 섞였다.
꺼림칙하기도 하고 속으로는 주저함도 있었지만 결국 쾌
락의 기억은 무엇이든 강요하고야 만다.

개나리와 냉이 그림이 그려진 퀼팅 이불을 들썩거리자
쉰내가 푹 올라왔다. 할퀴고 짓밟고 싶은 충동이 솟았다.
하지만 꾹 참았다. 달팽이가 내뱉은 끈끈물 같은 게 여
자의 음부에서 흘러내렸다.

천진난만하게 때론 휘황찬란하게 몸속의 모든 세포는 쾌
락에 물든다. 덧베개가 이상한 모습으로 짓눌러지기 시작

한다.

여자는 심하게 머리를 뒤로 젖힌다. 분수의 물줄기 위에 춤추는 아지랑이처럼 쾌락의 감탄이 삐져나온다.

나는 한다. 고로 존재한다. 고르지 못한 숨을 내쉬었다

매 순간 천 곱의 희열이 죽은 삶을 대신한다. 운위할 수 없는 쾌락의 맛. 신의 선물. 여자는 숨이 턱 끝에 닿은 척, 헉헉거렸다.

Pomplamoose - Nuages

음악, 상념

https://www.youtube.com/embed/GxAIMM8M8Ko

어렴풋이 선잠이 들었다. 정신이 아득하였다. 그러나 곧 이어 따가운 통증을 얼굴에서 느꼈다. 나는 눈을 번쩍 떴다. 여전히 세상은 칠흑같이 어둡다. 여자와 눈이 마주 쳤다.

"내 말을 귓등으로 듣는 거야?"
"미친 새끼야! 내 여동생은 아직 처녀야!" 여자는 눈썹을 치켜세운 채, 분노에 차서 떨기 시작했다. 안색이 파리하게 변했다.
"그냥 끼니를 잇기 위해 너 같은 새끼가 필요할 뿐이야. 알겠냐고? 이 사기꾼 색전증 같은 녀석아!"
"지금 내게 으름장을 놓는 거야?" 나는 벌떡 일어났다. 하지만 여전히 나는 어둠에 있다.

흔들리는 망막 속에 품은 저주가 느껴진다.

돌아서는 등에 그녀의 욕지거리가 매달렸다. 거친 손찌검이라도 돌려주고 싶었으나 늘 생각뿐이었다. 나는 역정을 억지로 삼켰다. 그냥 재킷을 찢을 듯이 손에 꽉 쥐고는 뛰쳐나왔다. 악덕과 모독이 치렁치렁 달려 나왔다.

무채색의 공간. 더러운 하늘이 낮게 드리웠다. 검정이나 회색 혹은 갈색이 지배하는 풍경은 선명함이 없었다. 마치 파스텔 색조로 덧 이겨놓은 듯한 유화 같았다.

틈이 놓여있다. 탁한 바람이 갈색의 병풍처럼 이어졌다 사라진다. 휘어진 도로 사이로 죽음처럼 깊은 수렁이 머문다.

칼날 같은 바람이 세차게 불었다. 절망적인 포르티시모가 쭈뼛 삐져나온다. 얼굴이 얼얼하고 목젖이 뻣뻣하였다. 침을 삼키니 따가움이 전해졌다. 몸이 늪 속에 빠진 듯 천근만근 무겁다.

혼란스러움이 형식을 찾아가고, 두운과 각운에 맞추고,

내 인생의 질서를 반듯하게 흩뿌려놓는다. 모든 것은 익숙하게도 반복된다. 혼돈만이 진정한 내 삶의 가치다.

암울한 무엇인가가 나를 눌렀다. 자의식 과잉으로 내려앉은 무거운 머리. 그러나 나는 개의치 않았다. 그냥 받아들였다. 가장 착한 면과 악한 면이 늘 가까이 들러붙어 있다.

점점 방향을 어디에 둘지 알 수 없었다. 머리가 백지상태로 변했다. 어떻게든 견뎌야 하는 불행만이 가득하다. 모든 게 거품처럼 부글거린다. 동경과 좌절 속에, 광기와 불행 속에…

나는 경박하고 공허하다. 즉, 적어도 삶은 살고 있다.

Ólafur Arnalds - So Far

음악, 상념

Ólafur Arnalds - So Far + So Close (ft. Arnór dan)

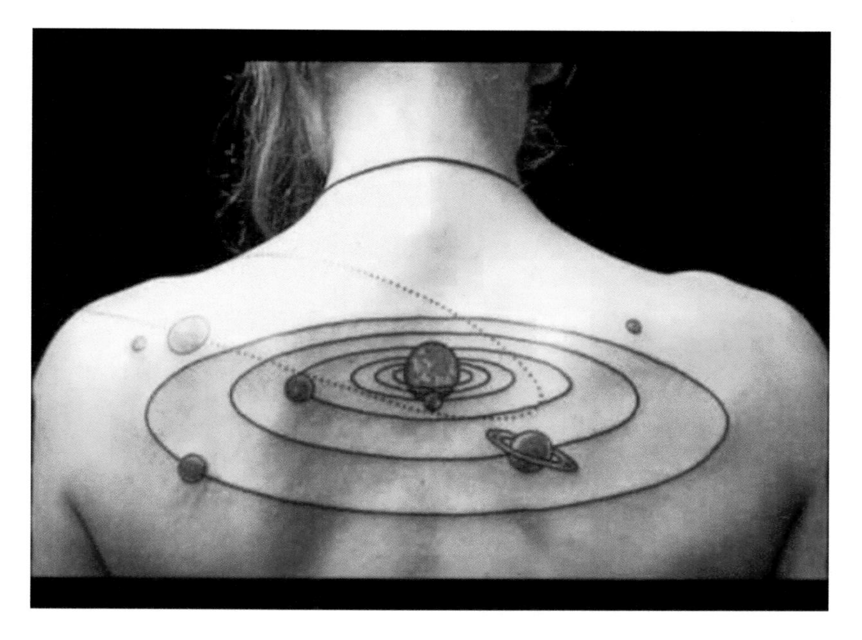

https://www.youtube.com/embed/dHqbuJOd7Y0

기차는 좀처럼 오지 않았다. 나는 목을 길게 빼고 마냥 기다렸다.

배기바지를 입은 청년이 담배를 물고 다리를 절뚝거리며 서성이고 있다. 연기는 가까이 오면서 꼬이고 말리기 시작했다.

지나치게 긴 하루였다. 재수 옴 붙은 날. 삶이 시간 속에 머뭇거린다. 운명이 수 놓은 반짝이는 경외. 내 안에서 여음이 울린다. 저주와 축복이 버무려진다. 창조의 활동과 오만. 이때를 늘 갈구한다. 다시 내부로 향한다.
번뇌는 불어나고 의식은 가볍고 감각은 불안하다. 잔인하기 짝이 없는 세상. 늘 인간은 혼자다. 타나토스로 향하는 여정.

청색 블레이저와 타탄체크 바지를 말쑥하게 차려입은 청년이 케이프 코트를 근사하게 차려입은 여인과 팔짱을 낀 채 나를 스치듯 지나갔다. 더블브레스트 재킷에 검은 레이밴 선글라스, 고전적인 느낌의 윙 톱 슈즈를 착용한 사내도 풍채 좋고 당당하게 서성거린다.

단조로운 힙합이 점점 크게 다가온다. 돌아가는 세계는 공색하였고 나는 관조로 일관한다. 그리고 자신을 추스른다.

저 멀리, 시선의 끝에 폭풍의 형상이 도사린다. 나는 길게 한숨을 쉰다. 지금은 그 무엇이든 삶을 어렵게 한다. 대기, 바람, 구름, 정적, 외로움, 바짝 마른 이파리. 모든 것은 죽음과 연관되어 있다.

사물과 형상, 기억은 아픔과 슬픔으로만 맺어진다. 종말의 시대는 그런 것이다. 우리가 원래 만들어진 대로 파괴로 이어진다.

자신이 평온했던 어린 시절에는 다 써버릴 수 없었던 지나친 교만, 의지, 지배력이 나의 죽음 속으로 흘러든다. 구역질은 늘 따라다니고 두려움은 상주한다. 나는 이제 잉여분을 탕진하고 싶다.

나는 입장하는 기차를 향해 뛰어든다. 허공에서 파들거린다.

그을음 같은 흐릿하고 음흉하기까지 한 햇살이 비스듬히 내리쬐고 있다.
그 아름다운 존재에 축복을….

Sigur Rós - Svefn-g-englar

음악, 상념

https://www.youtube.com/embed/8L64BcCRDAE

지그문트 거리의 한적한 주택가를 걷다 발견한 카페는, 그리 넓지 않고 어두운 편이다. 지붕에 난 사각 창을 투과한 가느다란 자연광에 더하여, 흐릿한 갈색 꼬마전구가 듬성듬성 박혀있다. 그리고 천장을 따라 낡은 목제 기둥들이 교차한다. 회칠한 사각 벽면에는 <Egon Schiele>의 작품이 한 면에 한 개씩 매달려 있다. 모두 다양한 모습의 비틀린 나체 여인이다.

나는 <Sigur Ros>의 <Svefn-g-englar>가 흐르는 홀을 지난다. 가장 구석진 곳. 채광이 거의 느껴지지 않는, 손바닥 크기의 창가 옆 테이블에 앉는다. 커피를 주문하고 담배를 피운다. 그리고 입구를 응시한다. 투명에 가까운 출입구 유리. 12월의 잿빛 하늘이 가라앉는다.

유리를 투과한, 성기게 돋아난 서릿발로 세상이 꽁꽁 멈추었다. 바람이, 일렬로 길게 늘어선, 높고 앙상한 미루나무 가지를 톡톡톡 건드리며 지나간다. 그리고 가늘게 떨고 있는 잔가지들 사이로 붉은 지붕이 보인다. 그 너머 구릉 사이로 제멋대로 펼쳐진 들녘은 황량하다. 세상의 진화가 멈춘 듯하다.

잠시 의식이 사라진다. 돌과 나무처럼. 그저 밖을 바라본다. 음악이 꿈속인 듯 들려온다.

'…. 그저 얼굴에 비가 내릴 뿐이다.'

오후 4시가 넘어가자, 세상은 천천히 붉어진다. 저 멀리, 행글라이더 모양으로, 정연하게 대오를 지어 날아가는 철새가, 얼마 남지 않은 빛에 반짝인다. 어스름한 기운이 홀을 메우기 시작한다. 유럽에 머문 지 10년이 넘었지만, 여전히 겨울의 짧은 햇살은 당혹스럽다. 하루가 시작하기도 전에 끝난 느낌이다.

독일에 온 첫해, 겨울이 떠오른다.

경사가 거의 없는 낮은 산과 앙상한 나무들로 채워진 공원 사이로, 눈들이 많이도 내렸다. 어떤 날은 함박눈이, 어떤 날은 싸라기눈이, 어떤 때는 눈인지 비인지 구분할 수 없는 것이 내렸다.

족히 이틀이나 사흘에 한 번씩은 왔다. 하지만 그다지 춥지 않은 기온 탓에, 도로 위 눈들은 금방 시커먼 흙탕물로 변했다. 회사 가까이에 숙소가 있었다. 나는 매일 질퍽한 거리를 걸어서 출퇴근하였다. 짧은 낮과 긴 밤으로 구성된 곳. 출근길은 어두웠고 퇴근길은 깜깜하였다. 나는 노란 가로등 불빛에 의존하여, 바지춤을 추켜올리고 까치발을 하고선, 거리 곳곳에 도사리고 있는 고인 물과 눈 무더기, 혹은 가끔 개똥을 피하여, 조심스럽게 걷곤 하였다.

회사 건물은, 밀밭과 공원 입구 사이에 덩그러니 서 있었다. 그리고 낡았다. 지은 지 100년은 더 되어 보였다. 뼈만 남은 담쟁이덩굴이, 한쪽 벽과 지붕을 온통 점령하고 있었다. 중세 수도원 같았다. 흐린 날, 달빛에 쳐다보면, 공포 영화에서나 나올 직한, 음산하고 기괴한 정신병원 같기도 하였다.

하지만 낡은 외벽과는 달리, 실내는 현대식으로 깔끔하게 개축되었다. 폭신한 카펫이 깔린 복도는 깨끗하고 단순하였다. 높은 천장에는, 환기구와 동그랗고 세련된 조명이 일렬로 일정하게 박혔다. 그리고 하얀 벽면을 따라, 손바닥 2개 정도 크기의 사진 액자가 듬성듬성 달렸다. 묘하게도 모든 작품에는 한 사람만 등장하였다.

"<Henrik Knudsen> 작품이에요." 작은 키에 두꺼운 뿔테 안경을 한 낯선 여자가, 출근 첫날, 내게 말을 걸었다. 나는 자판기에서 막 뽑은 커피를 한 손에 든 채, 복도를 서성거리다, 사진 하나를 무심하게 쳐다보던 중이었다. 그 속에는, 버스 맨 뒤 칸에 홀로 앉은 흑인 청년이 차창 밖을 내다보고 있었다. 그의 얼굴에서 알 듯 말 듯 한 미소를 느꼈다. 쓸쓸하기보다는 따뜻했다.

"무슨 생각을 할까요?"
나의 질문에 그녀는 고민 없이 "애인 생각이죠. 당연히…
"
"행복해 보이잖아요. 여자 친구를 만나러 가는 길일 거예요. 틀림없이…."
나는 미소로 수긍을 보냈다. 그리고 우리는 통성명을 하였다.

"송안나에요." 그녀는 작고 가느다란 손을 내밀어 악수를 청했다.
"아, 네, 저는 박칠규입니다." 긴장이 되었는지 가래 끓는 소리가 올라왔다.
"철규 씨요?"
"아, 아니, 칠규입니다. 일곱의 칠입니다." 따뜻한 손의 감촉과 함께, 짙은 화장품 향이, 살짝 설레는 가슴으로 파고들었다.

"혹시 일곱 번째 아들은 아니겠죠?" 그녀는 농담조의 비딱한 표정으로, 나를 빤히 올려다보며 물었다.
"아, 네…. 음…. 그렇기도 하고 아니기도 합니다. 그러니까, 음…. 아버지의 일곱 번째 자식이지만, 어머니의 유일한 아들입니다."

그녀는 잠시 멈칫하더니, 이내 내가 한 말의 의미를 알아차렸다. 난처한 표정을 지었다.
"죄송해요. 본의 아니게 짓궂은 질문이 돼 버렸네요." 그녀의 당황스러움이 왠지 정겨워 보였다. 그러자 긴장은 누그러지고 장난기가 올라왔다.

"안나 씨는 그럼 형제가 어떻게 되시나요? 실례가 아니라면."
"언니만 둘이에요. 두 살 터울로"
"아, 그럼 그 셋째딸?" 그녀는 활짝 웃었다.
"네, 바로 그 셋째 딸이에요. 선도 안 보고 데려간다는……." 그녀의 웃음소리가 높은 천장에 메아리쳤다.

Take Me Somewhere Nice

음악, 상념

Mogwai - Take Me Somewhere Nice

그녀는 디자인 팀장이었다. 우리는 천천히 복도를 따라 걷기 시작했다. 그녀는, 나머지 작품에 대해서도, 자신의 느낌과 생각을 들려주었다. 그리고 사무실 안내를 하였다.

나는 그날, 20명 남짓의 회사 직원과 인사를 나누었다. 그리고 지하실에서부터 2층까지, 탕비실에서부터 시스템실, 심지어 화장실까지, 안내를 받았다. 게다가, 미처 깨닫지 못하였던, 곳곳을 장식한 작품의 해석도 들었다.

나중에 안 사실이지만, 그녀는 4명의 창립 구성원이었다. 그녀는, 2차 세계대전 때 폭격으로 방치된 건물 중 한 곳이었던, 이곳의 내부 인테리어를 모두 손수 도맡아 꾸몄다고 한다. 그리고는 매우 만족스러웠는지, 이곳에 새로운 직원이 나타나면, 사무실 안내는 으레 그녀가 맡는다고 하였다.

그녀는 나와 같은 방을 사용하였다. 즉, 우리 방에는 디자인 팀과 웹 개발팀으로 양분되었다. 웹 개발 팀장으로 오게 된 나는, 그녀와 나란히 책상이 배치되었다. 나의 오른쪽에 그녀가 있었다. 그리고 그 너머에는 복도가 훤히 보이는 큰 창문들이 두 개씩 짝을 이루고 있었다. 창으로, 복도에 걸어둔 사진들이 온전하게 다 보였다. 나는 작품들의 높이와 간격이, 그녀가 앉은 자리에서 바라본 창의 너비와 일치한다는 사실을 나중에 깨달았다. 세심한 그녀의 성격을 짐작할 수 있었다.

나의 왼쪽에도 창들이 있었다. 겨우내 정사각형의 창을 통하여 매일 일출을 맞이했다. 출근과 동시에, 따끈한 자판기 커피가 든 종이컵을 든 채, PC의 전원을 켜고는, 여전히 덜 깬 눈으로 창밖을 바라보곤 했다. 무거운 하늘과 낮은 산들이 맞닿은 곳이 언제나 벌겋게 달아올라 있었다.

살면서 이렇게 많은 해돋이를 보게 되리라고는 상상도 못 한 일이었다. 나는 전형적인 올빼미형이다. 늦게 자고 늦게 일어났다. 해가 뜨는 모습을 여태껏 지켜본 기억이 남아 있지 않았다. 학생 시절, 친구들과 어울려 기숙사에서 포커게임을 하거나 당구장 혹은 노래방에서 밤샘한 적은 있지만, 그때도 바라본 건, 푸른 기운이 도는 빨간 창을 힐끗 한번 쳐다보는 정도였다. 일찍 잠드는 게 어려웠고 일찍 깨는 건 괴로웠다.

그러고도 20년 가까이 직장생활을 이어갔다. 아니, 버텨냈다.

카페의 손님은 하나둘 떠나간다. 이제 홀로 남는다. 거리를 지나가는 이들도 사라진 지 오래되었다. <Mogwai>의 <Take me somewhere nice>가 끝났을 때쯤, 나는 마지막 남은 담배를 재떨이에 비벼 끄고는, 찻값과 팁을 테이블에 두고 그곳을 나온다. 외로움이 길게 달린다. 안개비가 흐른다.

Lyrics

Ghosts in the photograph, never lied to meI′d be all of thatI′d be all of thatA false memoryWould be everythingA denial my eliminate

What was that for?

What was that for?

What would you do? If you saw spaceships, over GlasgowWould you fear them?Every aircraft

Every cameraIs a wish that, wasn´t granted

What was that for?

What was that for?

Try to be back

Try to be back

Salvatore Adamo - La Noche

음악, 상념

https://www.youtube.com/embed/XvPQRAfDGJU

나는 잠바 지퍼를 턱 밑까지 올리고 갈색 털이 달린 귀달이 모자를 푹 눌러 선 채, 아주 천천히 걷는다. 발걸음이 무겁다. 한줄기 세찬 바람이 먼지와 함께 스쳐 지나간다. 귓불 사이로 한기가 전해진다.

세상은 이제 차분한 어둠으로 쌓였다.

창밖 검은 마을 위로, 짙은 구름 사이로, 자신을 조금씩 깎아 낸, 노랗게 번진 그믐달이 스산한 빛으로 흐른다. 그 빛은 마을의 어둠에 묻혀있고, 마을은 자국만 남은 빛에 가렸다. 한 걸음씩 움직일 때마다 나는 주위를 천천히 둘러본다. 검은 지붕마다 뿜어 올린 연기가 스멀스멀 길 따라 부드럽게 흩어진다. 가로등과 나무, 간간이 뒹구는 낙엽들, 가녀린 빗방울 그리고 듬성듬성 불 켜진 창들이 켜켜이 쌓인 묽은 어둠에 모습을 드러낸다.

이윽고 <지그문트 13>이라고 적혀있는 거리 표시 팻말 아래에 도착한다. 나무 펜스 너머로 하얀 3층 집들이 보인다. 테라스와 발코니, 정사각형 창들과 두툼한 굴뚝, 낮은 각도로 경사진 지붕들이, 마치 쌍둥이처럼 닮았다.

나는 주차장 입구 옆, 하얀 우편함으로 다가가, 작은 글씨의 명패들을 훑어보며 <슐츠>라는 이름을 다시 찾아낸다. 설렘과 회한의 안타까움이 스멀스멀 올라온다.

<S. Schultz> 스반 슐츠. 변호사의 편지에 적혀있던 이름.

나는 한동안 그곳에 머물렀다. 공허한 가슴 한편을 꾹 누르고 시린 발끝을 참으며, 불 켜진 창들을 돌아가며 응시한다. 한줄기 밤바람이 얼굴을 할퀸다. 담배 생각이 간절하다.

연관도 없는 일들이 뒤죽박죽 기억난다.

낮은 언덕과 판잣집들. 좁은 골목과 무척 높은 계단. 그

꼭대기에서 바라본, 눈이 시리게 푸른 바다. 그곳에 점점이 박혀있는 깨알 같은 배들. 집을 나서는 어머니의 뒷모습. 주름진 할머니의 영정 사진. 그리고 낯선 아버지와 형제들.

습한 여름날, 삼베 주머니에 담긴 우뭇가사리가 끓고 있는 냄비. 할머니의 손이 분주하다. 뜨거운 콩이 희뿌연 연기와 함께 비릿한 메주 냄새를 쏟아낸다. 믹서기가 부서질 듯한 굉음을 내며 흔들린다. 반짝거리는 우무묵을 철망에 대고 손으로 꾹 누른다. 철망을 빠져나온 투명한 국수가 다소곳하게, 콩국이 담겨 있는 노란 양푼이 속으로 들어간다. 그녀는 천일염을 국자로 떠서 휙 뿌리고는, 콩국을 몇 번 젓기 시작한다. 그리고 국자에 국을 떠서 간을 본다. 수박만 한 얼음을 비닐로 싸고 고무줄로 묶더니 콩국에 조심스레 띄운다. 그녀의 모시 속옷에 땀이 송골송골 배어 나온다.

외할머니는 여름이 되면 항상 콩국 장사를 하셨다. 우리가 사는 시장 아파트 입구에 한자리를 차지하고는, 엉성한 나무 식탁과 앉은뱅이 의자 2개를 갖추고는, 지나가는 사람들을 불러 모았다. 특히 애 딸린 아주머니가 지나가면 아주 큰 소리로 외쳤다.

"아 새댁, 여 와서 시원한 콩국 한잔하고 가! 아도 더위 묵었네. 보니까" 하고는 애들 팔을 잡아당기시곤 하셨다. 그러면 잠깐의 실랑이가 벌어지고, 아줌마 대부분은 할머니의 호객행위를 뿌리치고 가던 길을 가지만, 가끔은 마지못해 혹은 할머니가 애처로워 콩국을 사곤 하였다. 나는 그런 모습이 부끄러워, 될 수 있는 대로 할머니 근처에는 안 가려고 했지만, 낡고 오래된 시장 아파트 입구가 딱 한곳밖에 없는 데다 하필이면 그 입구에서 할머니가 장사하는 바람에 어쩔 수 없이 하루에 한두 번은 지나칠 수밖에 없었다.

내가 지나가면 할머니는 언제나 나를 부르셨다.
"우리 강새이 왔나. 일로 안자바라." 그러고는 묻지도 않으시고 스테인리스 국그릇에 콩국을 가득 채워 주셨다. 그 구수하고 고소한 맛은 일품이었지만, 그 맛을 음미하기에는 나의 창피함이 너무도 컸다. 나는 최대한 빠른 속도로 후루룩 꿀꺽 들이키고는 재빨리 아파트 3층 계단을 뛰어 올라가곤 했다.

나의 유년 시절 대부분은 그렇게 할머니와 엮어졌다.

Lyrics

Tu amor de noche me llego
y un claro dia se me fue
maldigo el sol que se llevo
tus juramentos y mi fe

Tu amor el dia me hace odiar
la noche apaga mi rencor
porque ella viene a recordar
que no soy nada sin tu amor
La noche
me hace al volver
a enloquecer
la noche calma mi ansiedad
porque te espero y creo en ti
que me atormentas sin piedad
Lo eres todo para mi
de noche sueño en nuestro ayer
y cuando llega el despertar
yo te maldigo sin querer
y es que te quiero a mi pesar
La noche
me hace al volver
a enloquecer
en vano aviento mi rencor

y espero el dia para odiar
La noche me hace recordar
que no soy nada sin tu amor
la noche
me hace volver
a enloquecer,
a enloquecer

Those Were The Days

음악, 상념

Mary Hopkin - Those Were The Days

https://www.youtube.com/embed/kXc5Oe_kj8k

치밀어 오르는 걱정도 있었다. 이상한 소리였다. 너무도 이상해서 그 소리는 이제 나의 귓속에서 비죽이 삐져나오는 환청으로 굳어졌다. 내 귀여운 강아지에게서 짐승의

울부짖음이 뿜어져 나왔다. 그날, 상가 번영회에서 해마다 실시하는 쥐 잡는 날. 쥐약이 든 음식이 시장 곳곳에 구석구석 뿌려졌다. 이모와 나는 <복실이>를 예의주시하며 긴장하고 있었다.

이모는 시장 한복판에서 청과물 가게를 하셨다. 그리고 그 가게 옆에, 이모부가 빈 과일 상자로 듬성듬성 만들어준 복실이 집이 있었다. 진돗개를 아파트에선 키울 수 없었다. 할 수 없이 이모가게에 집을 마련했다. 그리고 밤이 되면, 걸어서 20분 거리에 있는, 마당이 있는 이모집으로 데려가서 재웠다. 그 개는 어머니가 주신 선물이다. 노르웨이로 시집가기 전, 그녀는 한 움큼의 눈물과 강아지를 주고 가셨다. 그리고 그날, 인적이 끊긴 밤거리를 졸린 눈으로 바라보던 이모는 가게 문을 닫기 위하여 남은 과일들을 정리하셨다. 그리고는 그녀는, 복실이를 묶은 개 줄을 잡고 집으로 갈려다가 멈칫했다. 가게 구석진 곳, 조그마한 평상에 잠들어 있는 나를 기억한 것이다.

그녀가 나를 깨우러 간 사이 개가 사라졌다. 하지만 10분도 지나지 않아 복실이는 돌아왔다. 그런데 이상했다. 엉성한 자기 집으로 쏜살같이 들어가더니 괴성을 지르며 집을 물어뜯기 시작했다. 이모부가 어느새 달려 나와 그의 거친 손으로 내 눈을 꽉 틀어막았다. 소리만 들렸다. 그 소리만 짧게 굵게 짧게 굵게 몇 번 들리더니 이내 잠잠해졌다. 이모는 눈물을 흘리며 내 손을 거칠게 잡고 집으로 끌고 갔다. 이모의 입에서 거친 욕설이 튀어나왔다. 어머니에 대한 욕이었다.

"이런 호양년 같은 것이 얼굴 뺀질뺀질하니 지 이뿌다고 카니 미스코리아 나간다고 돈만 처발라 코 수술에 눈 수술에 처 하면 뭐하노 예선전에서 미끄러진 년이…. 꼬라지 하고는 늙은 유부남한테 빌붙어 아나 처 낳더니……. 낳으면 지가 고이 키우던가…. 늙은 오메한테 처맡기더니 이젠 개새끼까지 처맡기고…. 빙신같은 늙은 양놈 새끼하고 눈이 처맞아 달나뿌면…. 오데 있는 나란지 알아야 가서 맥살이라도 잡아보제…. 우리 칠규 인생이…. 너무 불쌍하다……. 너무…."

나는 그날 처음이자 마지막으로 이모의 분노를 보았다. 그리고 며칠 뒤, 그녀는 예쁜 강아지를 한 마리 내게 보여 주었다. 그러나 나는 받기를 거절했다. 시장에서는 끝까지 키울 자신이 없다고 말했다. 이후 나는 어떤 동물도 가까이하지 않았다. 그리고 어렴풋이 나는 자신을 발견하기 시작했다.

몇 년 뒤, 할머니가 돌아가신 후, 나는 처음으로 서울에 있는 아버지 집으로 보내졌다. 큰 대문을 지나자 푸른 잔디와 멋진 소나무가 어우러진 넓은 정원이 나왔다. 그리고 나는 거기서 네 마리의 복실이를 보았다. 그들은 나를 보더니 요동치며 크게 짖었다. 나는 눈길을 접고 돌아섰다. 울부짖는 환청이 따라다녔다.

Quiet - This Will Destroy You

음악, 상념

https://www.youtube.com/embed/cBRbzQ3cqvo

프랑크푸르트 공항 2터미널 D 홀에 도착하면서 시간을 체크했다. 오후 5시 17분. 아직 이른 시간이다. 나는 익숙한 발걸음으로 에스컬레이터를 타고 4층 식당가로 향했다. 식당가라고 하기에는 사실 좀 아담한 곳이다. 식당

홀이라고 해야겠다.

오른쪽 전면은 흔하게 볼 수 있는 패스트푸드점이 차지하고 왼쪽은 카페와 빵집이 절반씩 나누고 있다. 홀의 중앙은 마치 우주선 같은 선명한 금속 색깔의 어린이 놀이터가 자리하고 있다. 맞은편은 아치형의 거대한 유리 벽이 있는데, 다양한 크기의 비행기 이착륙을 가까이에서 볼 수 있다. 깜짝 놀랄 만큼 아주 가까이에서 말이다.

언제나 최초의 충격은 기억되기 마련인가 보다.

이곳에 처음 방문한 날, 아무 생각 없이 달콤한 커피와 <Rammstein>의 폭발적인 사운드에 빠져 멍하니 창을 바라보던 순간, 발밑에서, SF 영화에서나 나올 직한 은빛 쇳덩이가 중저음의 굉음을 내며 유리 벽을 순식간에 가득 채우더니 사라져 버리는 것이었다. 나는 은근히 놀란 가슴에 황급히 이어폰을 뽑는다는 게 그만 커피를 바닥에 쏟고 말았다. 민망하고 황당한 그때의 기억은, 이젠 재미난 추억으로 나를 이곳에 매번 이끈다.

나는 공항에서 가장 저렴한 커피를 맥도날드에서 주문한 뒤, 아스파탐 2알을 넣고 뚜껑을 닫은 채 천천히 전망대로 향했다. 종이컵을 쥔 왼손바닥에 전해지는 따뜻함이, 4월에 맞는 모처럼의 맑은 하늘만큼이나 포근했다.

이어폰에서는 <Quiet>의 This will destroy you가 흘러나온다.

나는 커피를 홀짝거리며, 눈부시게 맑은 하늘을 신기한 듯 한동안 올려다봤다. 여기에 살면서 생긴 습관 중의 하나다. 구름 없는 하늘이 귀하다 보니 선명한 직사광선에 몸이 저절로 반응하게 되었다.

사실 이곳 사람들은 해만 나면 옷을 훌훌 벗어 던지고 공원이나 베란다, 혹은 햇빛을 마주할 수 있는 어떤 공간이든 마다하지 않고 누워 버린다. 10년 전 이곳에 처음 발을 들일 때의 낯설고 불가해한 풍경 중 하나였지만 이젠 이해가 된다.

어느새 나도 그들처럼 해바라기가 된 것이다.

물론 그렇다고 내가 선탠을 좋아한다는 뜻은 아니다. 해 본 적도 없다. 사실 할 필요가 없을 정도로, 나의 얼굴과 팔은 햇볕에 그을려 새까맣다. 내 업무의 대부분은, 탁 트인 도로 위, 직사광선을 온몸으로 받는 자동차에서 이루어지기 때문이다.

나는 한국에서 관광 혹은 업무차 방문하시는 분들을 안전하게 목적지까지 모셔다드리는 일을 주로 한다. 덧붙여 약간의 통역 서비스도 포함되는데, 예를 들자면, 호텔 예약, 식사 주문, 대중교통 발권 등등의 일상적인 대화 수준 정도를 지원한다.

시작한 지는 1년이 채 안 된다. 초보자인 셈이다.

그전에는, 이미 언급했듯이, IT 쪽 일을 했다. 지금까지 다양한 직업을 전전했지만, 내 경력의 대부분을 차지하는 것은 전산 계열이다. 좀 더 구체적으로 얘기하자면 웹 프로그래밍부터 시작하여 웹 기획 및 관리, 시스템 관리, DB 관리, 프로젝트 매니징까지 이어졌다. 그렇게 내 젊음의 대부분을 보냈다.

그러다 온라인 게임 서비스를 하는 한국계 독일 회사에

2년 계약으로 취업이 되어 유럽으로 오게 되었다. 이듬해 가족들도 왔다. 하지만 회사는 계약 기간을 채우지 못하고, 중국 업체에 팔려버렸다. 다행인 건, 임원진을 제외한 직원 대부분이 고용 승계를 보장받았다는 것이다. 그렇게 8년을 보냈다.

그사이 자식들은 모두 대학생이 되어 베를린과 런던으로 각각 흩어졌다. 그리고 작년엔 아내도 영국으로 가버렸다. 그녀가 다니던 구매대행 회사가 영국 런던에 사무실을 내면서 지점장으로 가게 된 것이다. 하지만 이것은 표면적인 이유였다. 사실은 돌이킬 수 없을 정도로 틀어져 버린 나와의 관계에 있을 것이다.

이미 독일행 비행기를 타기 이전부터 우리의 관계는 파탄으로 치닫고 있었다. 그런데도 굳이 한 지붕 아래에 살 수밖에 없었던 이유는, 순전히 <자식 부양>이라는 고귀한 의무에 기인한 것이었다.

Explosions in the Sky

음악, 상념

Explosions in the Sky – The Earth Is Not a Cold Dead Place

https://www.youtube.com/embed/oLddYrmClQw

세상에는 정반대의 꼭짓점에서 살아가는 사람들이 사랑에 얽히는 경우가 종종 있다. 그들이 우연히 만나, 나에게 부족하거나, 미처 깨닫지 못한 부분들이, 풍족한 상대에게 끌리게 되는 묘한 감정 같은 거 말이다. 나의 경우가 그러했다.

나는 정적이고 그녀는 동적이었다. 나는 내성적이고 그녀는 외향적이었다. 나는 사람을 싫어했고 그녀는 사람 만나는 것을 즐겨 했다. 나는 직장을 싫어했고 그녀는 살림을 좋아하지 않았다. 나는 오후의 따스한 날, 길거리 카페에서, 커피와 담배를 즐겨 했고, 그녀는 놀이공원의 바이킹과 롤러코스터를 사랑했다. 나는 포스트 록에 심취해 있었고 그녀는 테크노에 열광했다. 그녀는 춤췄고 나는 감상했다. 그녀는 나의 느긋함을 찬양했고, 나는 그녀의 부지런함에 반했다.

아내는 처녀 시절, 틈만 나면 전국의 크고 작은 산을 누비고 다녔다. 나를 처음 만난 곳도, 겨울 태백의 눈 덮인 등산로였다. 나는 그때 모 식품회사의 신입사원 연수를 받던 중이었는데, 보름의 연수 기간 중 마지막 단계인, 극기체험을 하던 중이었다. 새벽부터 시작된 겨울 산행에 이미 몸과 마음이 지칠 대로 지친 나는, 산허리로 감겨 드는 가파른 길모퉁이, 평평한 바위에 걸터앉아, 가늘어 지는 햇살을 조급한 마음으로 쳐다보고 있었다.

일행과는 한참 뒤처져 있었다. 이때, 한 무리의 등산객들이 지나갔다. 그들은 나를 지나가면서 한 번씩 힐끔 쳐다보더니 낮은 소리로 뭐라고 중얼거렸다. 그러더니 일행 중 한 명이 내게 다가왔다. 그녀는 두툼한 구글을 벗어 든 채, 측은한 표정으로 내게 물었다.

"어디 불편하세요?"
"아 네, 발목이 좀 삔 것 같습니다." 나의 답변에 그녀는 한숨을 크게 내쉬더니 주위를 둘러보며 말했다. "해가 곧

질 거예요. 산속이라 금방 어두워질 겁니다. 기온도 많이 떨어질 거고요…. 서둘러야 할 거예요……."라고 하면서 내게 손을 내밀었다. 그렇게 우리는 줄곧 손을 잡은 채 밤 산행을 하였다. 그녀는 이끌고 나는 따라갔다. 그녀는 전국의 아름다운 산과 바다 이야기를 가는 내내 하였고, 나는 헉헉거리며 귀담아들었다.

중간 기착지인 산장에 도착해서야 우리는 떨어졌다. 나는 그곳에서 회사 일행들과 재회했다. 나는 한숨을 돌린 뒤 다시 그녀를 찾았다. 나무로 된 2층 침대가 일렬로 마주 선 복도에는 배낭과 각종 식기 도구들로 번잡했다. 그곳을 어렵사리 헤치고, 나는 구석진 곳에서 침낭에 얼굴만 내밀고 있는 그녀를 발견했다.

그녀가 나를 보더니 활짝 웃었다. 구릿빛 얼굴에 눈가의 잔주름이 잔뜩 솟아났다. 그녀는 손으로 침대 바닥을 톡 톡 건드리며, 잘 곳이 마땅치 않으면 이곳으로 오라고

했다. 나는 침낭을 들고 와 그녀 옆에 깔고 그 속으로 들어갔다. 그리고 얼마 지나지 않아 소등되었다. 깜깜해졌다. 이어 침묵이 찾아왔고 사각거리는 소리와 기침 소리가 한 번씩 들려왔다. 그리고 아주 가까이에서 그녀의 숨소리가 들려왔다. 나는 본능을 좇아 그녀의 입술을 찾았다.

The Earth Is not a cold dead place

나는 전망대에서 제법 많은 시간 동안 앉아 있었다. 2잔의 커피를 이미 비웠고 <Explosions in the Sky>의 세 번째 앨범인 <The Earth Is Not a Cold Dead Place>를 반복해서 듣고 있었다. 그리고 그때 친숙한 비행기가 시야에 들어왔다. 옅은 하늘색 바탕에 짙은 파랑의 <Korean Air> 글자가 선명한 비행기는, 천천히 몸을 낮추더니, 이윽고 육중한 몸을 가뿐하게 활주로에 내려놓았다.

Mad Soul Child- 숨결 (Breath)

음악, 상념

https://www.youtube.com/embed/CmeIWZub6y8

손님이 이제 막 도착한 것이다. 최소 30, 40분 정도의 수속을 마치면 만나 볼 수 있을 것이다. 나는 이어폰을 빼 주머니에 쑤셔 넣고, 커피를 한잔 더 주문한 뒤, 일회용 컵을 든 채, 2층 입국장으로 천천히 내려갔다. 아직 여유가 있으므로, 나는 담배를 피우기 위하여 바깥 택시 승강장으로 나갔다. 벽감처럼 움푹 들어간 흡연구역에는 땅딸막한 중년의 남자들이, 자신들이 조잡하게 만든 것 같은 담배를 피우며, 큰 소리로 떠들고 있었다.

그들은 믿을 수 없이 따뜻하고 햇빛으로 가득한 4월의 독일 날씨를 찬양하더니, 곧바로 우중충하고 을씨년스럽기 짝이 없었던 지난겨울에 대하여 과한 표정으로 킬킬거리며 넌더리를 쳤다. 한쪽 벽면에는 어지럽게 세워놓은 그들의 짐들이 보였다. 그 위로 선명한 햇살이 사금파리 모양으로 달라붙어 있었다.

나는 그들과 그들의 짐을 피하여 창가 쪽으로 바싹 다가서서 담뱃불을 붙였다. 그리고 줄곧 열려있는 귀에, 어쩔 수 없이 들려오는 그들의 소음을 상쇄하기 위하여 이어폰을 꽂고 음악을 켰다. <Mad Soul Child>의 <Breath>가 흘러나왔다. 안나의 USB에 있던 곡이다. 그녀는 음악 취향 따위는 없다고 말했다.

"그냥 무작위로 음악방송 같은 걸 들어요. 다 좋으니까요. 가볍게 듣는 거죠. 뭐." 그녀는 겨울의 끄트머리에 선 어느 맑은 날, 사무실 옆, <피닉스>라고 이름 지어진 공원의 나무 벤치에서 나에게 이어폰 한쪽을 내밀면서 이렇게 말했다.

"그러다 어느 순간 아주 마음에 드는 노래가 쏙 들어올 때가 있어요. 아주 가끔이긴 하지만요. 그러면 그 노래를 수단과 방법을 가리지 않고 다운로드 받아요. 그리곤 관련 정보도 알아내죠. 뭐 이를테면, 싱어가 누군지, 가사는 어떻게 되는지, 어느 앨범에 들어있는 것인지, 같은 것들 말이에요. 그리고는 리스트를 만들죠. 나만의 음악 리스트 말이에요."

"그러면 지금 이 노래는?"

"네, 안나의 베스트 음악이죠." 그녀의 감은 눈꺼풀에 푸른 혈관이 선명하게 보였다. 상쾌한 바람이 호두나무 가지를 흔든다.

Diana Krall - The Look of Love

음악, 상념

https://www.youtube.com/embed/2MOtF_L0uR8

그녀가 꽂아준 이어폰에서 흘러나온 음악들은 대체로 부드럽고 감미로웠다. 재즈풍의 여성 솔로 곡들이 주류를 이루었다. 하지만 대중적인 팝이나 가요들도 있었고, 실험적인 인디 음악이나 심지어 사이키델릭 풍의 연주도 포함되어 있었다. 그야말로 다양했다. 그녀는 곡이 바뀔 때마다, 자신이 채집한 노래의 정보를 들려줬다.

"<Sinead O'Connor>의 <Nothing Compares 2U>라는 곡이죠." 그리고 그녀의 느낌을 말해주었다.

"막연한 열망이나 슬픔 같은 게 느껴져요……. 음……. 뭐랄까……. 좀 더 정확하게 표현하자면 안타까움이라고 해야겠네요." 그리고 그녀는 노래 가사를 방심한 목소리로 흥얼거리며 따라 불렀다. 눈을 감은 채. 투명한 봄볕에 반짝거리는 그녀의 조그맣고 빨간 입술이 오물오물하는 모습을, 나는 따스하게 지켜보았다. 그해 봄은 특이하게, 더울 만큼 맑은 하늘이 많았다. 누군가는, 지난겨울의 지독한 눈 때문이라고 했다. 아무튼, 우리는 그 많아진 날들만큼 자주 음악 산책을 즐겼다.

그녀는 재즈 싱어인 <Diana Krall>을 가장 좋아한다고 했다. 그리고는 그 가수에 대한 여러 가지 에피소드를 들려주었는데, 재즈에 대해선 그다지 관심이 없었던 나로서는, 처음 얼마 동안은 그저 심드렁하게 듣곤 했다. 그래서 그런지 기억나는 거라고는, 그 가수가 나와 같은 해에 태어났다는 것뿐이었다. 또 한 가지를 들자면, 이건 순전히 나의 편견과 무지에서 비롯된 것인데, 나는 그 여성 재즈 가수가 흑인일 거라고만 생각했다는 것이다. 안나가 이메일로 보내준 뮤직비디오를 보고, 나는 그녀가 금발의 백인이라는 사실에 적이 놀라고 말았다.

'<Diana Krall>의 <The Look of Love>라는 곡이에요. 제가 가장 좋아하는 노래죠. 당연히. 하지만 음악에만 빠지세요……. 그녀의 미모에는 절대로 빠지지 마시고요……. 크크크 송안나 드림'

나는 언젠가 그녀에게 왜 이 가수를 좋아하는지 물어본 적이 있다. 그녀는 입술을 뾰족하게 하더니, 재미있다는 듯이 즉답을 피하고는, 내게 반농담식으로 숙제라고 하였다. 그러면서 다음날 내게 USB를 하나 주었다. 그녀와 예전에 같이 들었던 노래들이 모두 담겨 있었다. 이젠 귀에 익숙하게 된 음악들이었다. 나는 내 노트북에 <안나의 음악>이라는 폴더를 만들어 그곳에 음악 파일들을 저장하고 휴대폰에도 복사를 해 두었다.

그리고 이제 십 년이 지난 지금, 그녀는 이미 오래전에 떠났지만, 그 폴더는 아직 내게 남아 있다. 신기하게도 폴더가 살아남았다.

나는 늙어 가는 만큼의 강도로 점점 더한 강박증에 시달리고 있다. 혼자 사는 10평 크기의 원룸에는 단 하나의 가구, 옷장만 있다. 그리고 각각 한 개씩의 냉장고, TV, 세탁기, 매트리스, 이불, 베개, 밥상 겸 책상, 노트북, 다리미가 있다. 하얀 모든 벽면에는 액자 하나 없이 깨끗하다. 냉장고 문에 가족사진 한 장만 붙어 있다. 대부분 소모품이나 생활용품들도 한 개씩만 가지고 있다. 치약,

칫솔, 샴푸, 수저, 밥공기, 국그릇, 냄비, 프라이팬, 걸레, 휴지, 보온병, 커피잔, 운동화, 구두 등등. 그나마 중복으로 가진 것은 속옷과 양말뿐이다. 매일 하루에 한 개씩 일주일 치 해서 각각 7개가 있다. 이를테면 일요일 오전에, 세탁기에 매일 한 개씩 벗어둔 속옷과 양말들을 한꺼번에 세탁하고, 월요일부터 다시 한 장씩 소모하는 것이다. 잠바, 양복, 셔츠, 넥타이, 티셔츠, 잠옷 모두 한 개씩만 두었다. 잠바는 6개월에 한 번씩 바꾸었다. 즉, 가을이 되면 가장 저렴하고 두툼한 잠바를 산 뒤, 겨우내 입고 버린 뒤, 봄이 되면 가장 싸면서 얇은 잠바를 사서 가을까지 입고 버렸다. 냉장고도 텅 비었다. 기껏해야 이틀 치 정도의 양식거리만 딱 들어있다. 반찬도 없다. 내가 집에서 해 먹는 메뉴는 단 하나, 비빔밥뿐이다. 모든 재료를 섞어서 물과 함께 먹었다.

나의 스마트 폰에는 기본 앱 외에 단 3개의 앱만 추가되어 있다. 메신저와 음악 그리고 도서. 나의 노트북 바탕화면에는 남태평양의 어느 아름다운 섬 사진과 아래쪽 작업표시줄에 있는 4개의 빠른 실행 버튼만 있다. 탐색기, 브라우저, 도서 그리고 워드. 그리고 나의 윈도 탐색기 디렉터리는 아주 단순하다. 기본적으로 생성된 중요 폴더들은 모두 숨김으로써 감추어 버렸고, 단 2개의 폴더만 추가하였다. <도서>와 <음악>. 그리고 그 음악 폴더에는 <안나의 음악> 단 하나의 폴더만 존재한다. 예전에는 몇 개의 음악 폴더가 존재했었다. 예를 들면, <포스트 록 모음>, <프로그레시브 록 모음>, <인디 베스트 모음> 등등. 하지만 다 지웠다. 요즈음에는 음악을 온라인 스트리밍으로 주로 듣기 때문이기도 하지만, 당최 뭘 가지고 있다는 것에 대한 알 수 없는 압박감이 더 큰 작용을 했다. 점점 시간이 갈수록, 나는 자의든 타의든 버리거나 떠나 보내게 됨에 익숙해지는 것 같았다. 어쩌면 타고난 팔자인지도 모르겠다.

하지만<안나의 음악>은 몇 번의 망설인 끝에 그냥 남겨뒀다.

그리고 그녀가 뉴욕으로 돌아간 그 날 이후, 오랫동안 나는 그녀를 애써 잊고 살았다. 적어도, 지난봄, 내가 프랑크푸르트에 있는 자그마한 재즈바를 찾기 전까지는 말이다.

Billie Holiday - Comes Love

음악, 상념

https://www.youtube.com/embed/NoQR08auOsA

새로운 직업을 시작한 지 얼마 되지 않아, 나는 이곳에서 매년 봄마다 개최되는 국제 악기 박람회에 참관하는 고객을 맞이하게 되었다. 그들은 7명으로 구성된 재즈 뮤지션으로, 3박 4일간의 마지막 일정을 끝낸 일요일 저녁, 그들이 인터넷에서 찾았다는 유명한 - 어쩌면 한국인들에게만 잘 알려진 - 작센하우젠에 있는 독일 식당으로 데려다 달라고 요구했다. 그들은 이번 방문의 마지막 만찬에 기꺼이 나를 초대했고, 우리는 아펠바인이라는 사과로 담근 술과 독일의 전통 음식이라고 알려진, 돼지 족발 튀김 요리인 슈바인스학세를 주문하였다.

홀은 적지 않은 손님들로 떠들썩했고, 웨이터는 유창한 한국어 인사말로 우리에게 한바탕 웃음을 선사했다. 그들은 서로에게 아주 친한 듯, 짓궂은 말장난들이 난무하였는데, 대부분이 욕으로 시작해서 욕으로 끝났다. 하지만 아무도 개의치 않는 듯 보였다. 그리고 그들은 상당한 대식가였다. 접시에 수북이 담긴 감자와 두툼한 족발을 쉴 새도 없이 먹어 치웠다. 또한, 그들은 술도 엄청나게 마셨다. 사과술은 우리네 백자와 같은 흰 항아리에 담겨 나왔는데, 홀서빙 담당자가 쉴 틈도 없이 빈 항아리를 채워 날랐다. 그들은 입으로 떠들고 마시고 채워 넣었다.

나는 운전을 핑계로 술은 거의 마시지 않았다. 사실 술을 잘 마시지도 못하였다. 물려받은 체질이었다. 알코올에 민감하게 반응하였다. 소주 몇 잔만 마셔도 속이 울렁거리고 편치 않았으며, 다음날 꼭 설사하였다. 아버지와 닮은 몇 안 되는 특징 중의 하나였다. 반면 아내는 술을 잘 마셨다. 당연히 술을 좋아하기도 하였다. 우리 집 냉장고에는 항상 소주와 맥주가 비치되어 있었고, 베란다 끝에는 늘 빈 술병들이 상자째로 포개져 있었다. 그녀는 종종 가벼운 저녁 식사를 한 뒤, 홀로 식탁에 앉아, 간단한 안주와 함께 긴 시간 동안 두세 병의 술을 마시곤 하였다. 그러고도 아침이면 거뜬하게 일어나 뒷동산으로 달리곤 하였다. 나는 베란다에 나와 담배를 피우면서, 그녀가 멀어지는 광경을 가끔 지켜보곤 하였다. 그럴 때면 묘한 서글픔 같은 것을 느끼곤 하였다. 마치 기차 철로와 같다는 생각이 들었다. 아무리 달려도 우리는 좁아지지 않았다.

식당의 빈자리가 눈에 띄게 늘어난 늦은 밤이 되어서야 우리는 그곳을 나왔다. 하지만 이 요란한 재즈 패거리들은, 이국땅에서의 마지막 밤을 그냥 잠으로 때울 생각이 전혀 없어 보였다. 몇몇은 각자 휴대폰을 꺼내더니 다음 목적지를 부산하게 찾는 듯 보였다. 그리고 얼마 지나지 않아 저희끼리 쑥덕거리더니, 공론화된 그들의 뜻을 내게 전했다. 재즈바의 주소였다.

Comes Love

허름한 입구만큼 내부는 작고 단출하였다. 흐린 조명이 적갈색의 벽을 물들였다. 일행은 객석의 빈자리를 채우고도 남았다. 어쩔 수 없이 몇몇은 벽에 기대거나 포개 앉았다. <September in the Rain>이 홀에 흘렀다. 갈색 머리의 여인이 피아노 건반을 두드렸다. 흥겨움이 절로 묻어났다. 일행은 벌써 드럼 박자에 맞추어 고개를 끄덕이거나, 발을 바닥에 가볍게 두드렸다. 젊고 구부정한 백인 남자는 눈을 지그시 감은 채, 콘트라베이스를 손가락으로 가볍게 튕겼다. 몇몇은 자신의 술잔을 홀짝거렸고, 가수로 보이는 흑인 여성은, 검은 파이프가 드러난 천장을 바라보며 웅얼거렸다. 그녀의 손에는 굵고 독특한 반지가 모든 손가락에 끼워져있었다. 요란한 장식의 팔찌와 목걸이도 그녀의 하얀 이빨처럼 반짝였다. 홀의 중앙에는 유난히 다정스러운 커플도 눈에 띄었다. 그들은 이제 막 사랑의 열정에 빠진 듯, 서로를 손으로 감싸고 잠시도 쉬지 않고 서로의 살갗을 비벼대고 있었다. 그들이 서로에게서 떨어지는 순간은, 연주가 끝났을 때뿐이었다. 손뼉을 치기 위해서. 그 순간에도 그들의 눈은 서로를 향하고 있었다.

조금 지나지 않아, 바에 있던 중년의 남자가 색소폰을

들고 홀에 나타났다. 그리고 가수는 무대 중간에 있는 마이크로 이동하였다. 그녀는 좌중을 빙 둘러보며 고개를 숙였다. 간간이 박수가 다시 터졌다. 드럼연주자의 신호에 따라 연주가 다시 시작되고 커플은 다시 붙었다. 익숙한 노래가 흘렀다. <Comes Love>. <Billie Holiday>가 부른 이 노래는 가사를 외우고 있는 거의 유일한 재즈곡이다. 안나의 베스트곡이었다.

Comes love, nothing can be done.

"사랑이 오면, 정말 아무것도 할 수 없는 걸까요?" 그녀는 내게 이어폰을 건네며 그냥 흘리듯 속삭였다. 지독하게 노란 유채꽃이 세상을 덮은 4월이었다. 폭설이 유난을 떨었든 그해 겨울, 첫 만남을 지나면서, 우리는 벤치에서 꽤 많은 시간을 보내고 있었다. 주로 음악과 소설 이야기였다. 그녀는 독일과 프랑스 작가에 푹 빠져있었다. 우리는 서로가 읽기를 원하는 책을 돌려가며 읽었다.

행복했다. 오랜만에 삶의 기쁨을 느꼈다.

Paolo Conte - It's wonderful

음악, 상념

https://www.youtube.com/embed/BZOObJjjiOA

정말이지 한국에서는 상상도 못 한 일이었다. 나는 하루 대부분을 회사에서 보냈다. 다른 이들처럼. 정말 그러고 싶지 않았지만 어쩔 수 없었다. 나는 일을 많이 하는 인간을 존경하는 사회에서 태어나 교육받았다. 삼시 세끼를 바깥에서 해결할 때도 많았다. 아침은 회사 근처 포장마차에서, 마가린과 설탕이 범벅된 토스트로 때웠다. 점심은 직장 동료와 함께 가까운 식당을 찾았다. 저녁에는 고기 안주에 소주와 맥주를 함께 먹었다.

치열했던 직장생활은, 내 속에 남은 선한 마음을 뺏어갔다. 지나치게 긴 근무 시간과 냉담한 아내의 반응에 나는 서서히 지쳐갔다. 나중에는 너무 지친 나머지 고통과 행복의 경계선도 모호하게 느껴졌다. 나는 그즈음 무수히 많은 상상을 하곤 했다. 이곳을 벗어날 수만 있다면 무슨 짓이라도 할 것만 같았다. 그즈음 나는 외국으로 나가기 위해 발악을 하고 있었다.

"팀장님 커리어에 비해 페이가 형편없이 작은데 괜찮으시겠어요?" 헤드헌터는 곤란한 표정을 지으며 물었다.
"중소 온라인 게임 회사라 언제 문 닫을지도 모르는데…. 게다가 한국과 비교하면 유럽 PC 게임 인프라가 턱없이 부족한 게 사실인지라…. 조금 더 기다려보는 건 어떨까요?" 그의 말투에 진심 어린 충고가 느껴졌다. 하지만 나는 절망적이었다. 무조건 한국을 떠나고 싶었다.

그리고 그의 우려대로, 내가 선택한 한국계 독일 회사는 2년을 채우지 못하고 파산했다. 안나는 미국으로 돌아갔다. 나는 남았다. 그녀가 두고 간 책들이 내 서재를 가득 채웠다. 외로움과 그리움, 행복했던 추억이 빈자리를 대신했다.

공항에서 맞이한 손님들은 무척 빠듯한 일정이었다. 숙소 체크인이 끝나자마자 휴식도 없이 곧바로 시내 모처에 있는 한식당으로 이동하였다. 저녁 겸 회의가 잡혀있었다. 나는 마인강 변에 있는 임시 주차장에 차를 세웠다. 적어도 서너 시간은 이곳에서 시간을 보내야만 하였다. 준비한 햄버거와 콜라를 마시고 담배도 피웠다. 나는 어슬렁거리며 강변을 걸었다. 얕은 바람이 잿빛의 강 수면에 잔잔한 물살을 일으켰다.

아내가 떠나자 나는 곧바로 직장을 그만두었다. 그리고 1년 동안 실업급여자 생활을 하였다. 일종의 방만한 자유를 누린 셈이다. 그러다 축구동호회 지인의 소개로 이 일을 시작하게 되었다.

"놀면 뭐 해, 푼돈이나 벌지…." 축구장 옆, 오래된 소나무 아래 마련된 간이 식탁에, 각자의 맥주병을 들고 둘러앉은 회원 중 가장 나이가 많은 그가 내게 말했다. 그는 파독 광부와 간호사의 아들로 십 대 때 이곳에 왔다고 했다. 그리고 오랫동안 그의 아내와 함께 통역과 여행 가이드를 하고 있었다.

그는 매주 토요일마다 개최되는 한인 축구 모임에 자주 참석하지는 못하였다. 그의 표현을 빌자면 "놈들이 꼭 주말만 되면 몰려와. 그 많고 많은 평일은 놔두고 말이여." 그래서 그런지 모처럼 일 없는 토요일이 되면, 어김

없이 맥주 한 상자를 들고 축구장을 찾았다.

"영어는 좀 하지?" 그가 다시 물었다. 나는 조금 망설이며 "아, 네 조금은요."라고 대답했다. 사실 속으로 당황스러운 순간이었다. 참 많은 시간 동안 영어를 해 왔지만, 아직도 나는 내 생각을 영어로 표현하는 데 아주 답답하다.

학생 때는 물론 이려니와 첫 직업이었던 인스턴트커피 연구원 시절에, 나는 틈만 나면 영어 논문을 탐독했다. 프로그래머로 직업을 바꾸었을 때도 다르지 않았다. 하루가 다르게 쏟아지는 웹 개발 신기술을 따라잡기 위해, 나는 적지 않은 시간을 투자하여 각종 영어 아티클을 섭렵했다.

독일에서의 회사 생활은 또 어떠했는가? 사내 소통의 공통 언어는 영어였다. 스무 명 안팎의 조그마한 게임 회사였지만 다양한 국적의 직원들이 모여 있었다. 주변 국가인 이탈리아, 스페인, 프랑스뿐만 아니라 그리스, 불가리아, 저 멀리 남미의 칠레 출신도 있었다. 독일의 막강한 경제력이, 국내 사정이 어려운 그들을 마치 스펀지처럼 빨아들이고 있었다.

미팅뿐만 아니라 인트라넷, 업무용 문서, 이메일, SNS 등 모든 것을 영어로 주고받았다. 줄곧 그렇게 해 왔다. 그런데 왜 나는 아직도 더듬거리며 영어를 할까? 도대체 나의 두뇌는 어디서부터 고장 난 걸까?

처음에는 용돈이나 벌어 보자는 속셈으로 가볍게 시작하였다. 하루 12시간 이상을 꼼짝없이 모니터만 바라보며, 복잡한 프로그래밍 코드와 풀리지 않는 버그를 해결하기 위하여 머리를 쥐어짜던 예전의 고통을 생각하면 이건 신선놀음이나 다름없었다. 게다가 몸을 움직인다는 게 이렇게 좋은 것인지를 처음으로 깨닫게 되었다. 하늘과 구름, 나무와 바람을 느낄 수 있다는 것 또한 대단한 기쁨이었다.

나는 유럽의 구석구석을 누비고 다녔다. 발끝마다 마주치는 낯선 공간에 설렘과 신비로움을 체험했다. 겨울의 회색 하늘이 정겨웠고 여름의 짙은 녹음이 사랑스러웠다. 나는 비로소 자유를 만끽했다.

Lyrics

via via vieni via di qui
niente piu′ ti lega a questi luoghi
neanche questi fiori azzurri
via via neanche questo tempo grigio
pieno di musiche

e di uomini che ti son piaciuti
it´s wonderful it´s wonderful
it´s wonderful good luck my baby
it´s wonderful it´s wonderful
it´s wonderful I dream of you
via via vieni via con me
entra in questo amore buio
non perderti per niente al mondo
via via non perderti per niente al mondo
lo spettacolo d´arte varia
di uno innamorato di te
it´s wonderful it´s wonderful
it´s wonderful good luck my baby
it´s wonderful it´s wonderful
it´s wonderful I dream of you
Via, via, vieni via con me,
entra in questo amore buio,
pieno di uomini...
via, entra e fatti un bagno caldo,

c′e′ un accappatoio azzurro,

fuori piove un mondo freddo....

It′s wonderful, it′s wonderful, it′s wonderful,

good luck my baby,

it′s wonderful, its wonderful, it′s wonderful,

I dream of you....

Analog Guy In A Digital World

음악, 상념

Martin Roth - An Analog Guy In A Digital World

https://www.youtube.com/embed/ZwFbDbETXzM

새벽 1시. 도로는 젖는다. 오래된 도시의 밤은 무관심하다. 어둠이 들면, 사람들은 서둘러 문을 닫고, 거리를 내버려둔다. 어떤 것도 위로가 되지 않는다. 바람. 적막함.

친근한 젖음. 볼을 스치는 차가운 바람. 멀리서 들려오는 경적. 노란 가로등 불빛 속으로 눈물 같은 비가 쏟아진다.

어둡고도 깊은 재즈바의 입구에서 일행이 천천히 모습을 드러낸다. 그들은 즐거움에 비실거린다. 그들이 발산하는 깊은 연대감이 부럽다. 껴안거나 치거나 건드리거나 웃고 달아난다. 비에 젖은 도로가 아주 기이하게 축 처져 있다. 그들은 서로를 응시하며 멈칫거린다. 격자무늬 입을 한 차량이 끈적거리며 지나간다. 일행 중 한 명이 주저앉으려 한다. 그를 부축하는 나머지가 뒤엉킨다. 웃음과 묘한 함성이 터진다. 누군가는 안으로 달려 들어간다. 비가 끊어질 듯 다시 이어진다. 허둥지둥 그가 다시 나온다. 파안대소. 제비꽃이 그려진, 붉은 벽돌집 테라스로 그들이 몰려간다. 인적이 사라진 거리. 비에 젖은 전단이 너덜너덜하게 구석에 처박혀있다. 그들은 담배를 주고받는다. 드디어 누비 잠옷 같은 잠바를 걸친 사람이 내게 비실거리며 다가온다.

"아저씨! 죄송하지만 한군데 더 갈 수 있을까요? 추가 요금은 드리겠습니다만…." 재즈 패거리의 리더인 그는 묘한 웃음을 띤다. '냉정하게 잘라야 해. 특히 마지막 날. 본전 뽑으려고 득달같이 달려든단 말이야.' 선임 가이드의 예측대로 그들은 이국땅에서의 마지막 밤을 꼴딱 새울 생각이다. 나는 망설인다. 이 순간, 내 표정이 어떨까? 모든 것은 예측할 수 없는 숱한 작은 것들로 이어진다. 순간은 느리고 말할 수 없이 상세하다. 시간을 곱씹어야 한다. 서두르거나 다른 것에 정신이 팔려버리면, 하찮은 일들에 익숙해져, 어느새 잊힌다. 기억이 지워진다. 내가 사랑했던 그들의 모습이. 다만 조각만 달라붙어 빗물에 반사될 뿐.

"어디로?"

"..." 이번엔 남자가 망설인다. 그의 표정에 부끄러움이 배어있다. 빗소리가 강해진다.

"혹시 FKK라고 들어 보셨나요?" 잘 알고 있다. 택시 광고판에 심심찮게 등장하는 곳. 시내 대형 세움 간판에도 버젓이 추켜 올라가 있다. 젊은 음악가를 내내 사로잡은 욕망. 성욕. 젊은이여. 부끄러워 마라. 이방인이 맞이하는 마지막 날은 원초적인 욕망에 휘둘리게 되어 있는 법. 그래. 우린 서글프게도 인간이잖아. 당연하게도.

"네, 어느 FKK로?" Freikörperkultur (FKK). Free Body Culture. 나체주의. 독일 나체주의 운동의 한 가닥은 사우나식 매춘으로 변질되었다. 아니 바뀌었다.
"어느 곳이든…. 추천해주세요."

로마풍의 아치가 입구를 장식했다. 간결하지만 정갈한 모습. 간헐적으로 개 짖는 소리가 들린다. 맞은편 거리는 은은한 불빛과 잘 깎여진 수목들이 정연하다. 꼭대기 합각머리에 검투사가 장식되어있다.
"같이 들어가시죠. 어차피 꽤 기다려야 할 텐데…. 입장

료는 내 드리겠습니다." 리더는 어색하고 쑥스러운 표정으로 나를 쳐다본다. 나는 잠시 머뭇거리다 일행의 뒤를 따른다. 구부정하게 이어진 자갈길. 사각거리는 발소리. 담벼락 마디 끝에 장식한 불길이 일렁거린다.

입구에 들어서자마자 젊은이들의 감탄이 이어진다. 천국이 따로 없다. 여인들은 모두 벗었다. 가까이 머물던 그녀들의 시선이 일제히 우리를 향했다. 시선을 어디에 두어야 할지 당혹스럽다. 몇 안 되는 남자들은 수건만 걸친 채 앉아 있거나 돌아다닌다. 심장이 빨라진다. 시선은 끊임없이 사방을 맴돈다. 호사스럽게 장식된 하얀 천장. 각각 다른 각도로 조명하는 갈색 조명. 상상했던 것 보다 훨씬 크고 아름다웠다. 모든 게 지금까지보다 더 강하게 파고드는 욕망. 과거 어느 시점에 딱 멈춰버렸던 것이 꿈틀거린다. 여인들은 한결같이 깨끗하고 이쁘다. 주체할 수 없는 욕구가 내 발밑에서 딸각거리며 돌아다닌다. 늘 처져 있던 몸뚱이들이 달아오른다.

사우나에 들어선 일행은 누가 먼저랄 것도 없이 열심히 몸을 씻어 재끼더니 서둘러 빠져나간다. 혼자 남겨졌다. 흐린 거울에 닳고 더러워지고 주름이 잡힌 얼굴이 보인다. 세월처럼 늘어진 턱선. 포장 속 내용을 알아 버리자 갑자기 나가기가 두려워진다.

수건을 배에 두른 채 사우나를 빠져나온다. 나는 서둘러 가까이에 있는 의자에 걸터앉는다. 감미로운 음악이 홀은 적신다. <Martin Roth>의 <An Analog Guy In A Digital World>. 남자와 여자가 있다. 그들은 앉거나 서 있다. 걷는 이들도 있다. 그러나 서두르지는 않는다. 돈과 욕망. 그리고 흥정이 이어진다.

모퉁이에 머뭇거리던 여인이 나체로 다가온다. 짙은 마스카라와 마젠타색 입술을 하였다.

"할로!" 그녀는 막 공허에서 깨어난 듯 몽환다운 미소로 말을 건다. 몸에 걸친 거라곤 팔찌와 달각거리는 슬리퍼뿐. 흥분이 컥 하며 숨을 막아선다.

“할로.” 나는 억지웃음을 지으며 문장(紋章) 속의 수선화가 그려진 우윳빛 유리창으로 시선을 돌린다. 창에 일렁이는 야외 수영장 물결. 다리가 짧은 갈색 닥스 개가 벗은 주인 옆에 누워있다. 독특한 발걸음과 특유의 사투리가 섞인 독일어가 전해진다.

“어느 나라에서 왔나요?” 그녀가 어색하게 몸을 뒤틀며 옆자리에 앉는다. 몸짓이 표현하는 끈적거림. <마네>의 <올랭피아>를 보는 듯하다.

“한국에서 오래전에.” 나는 비로소 그녀와 눈이 마주친다. 투명한 푸른색 눈이 반짝인다. 빗소리가 들린다. 사람은 추억을 위해 나이를 먹어야 한다. 그녀의 눈이 마치 무지개처럼 느껴진다.

Black Sabbath - Changes

음악, 상념

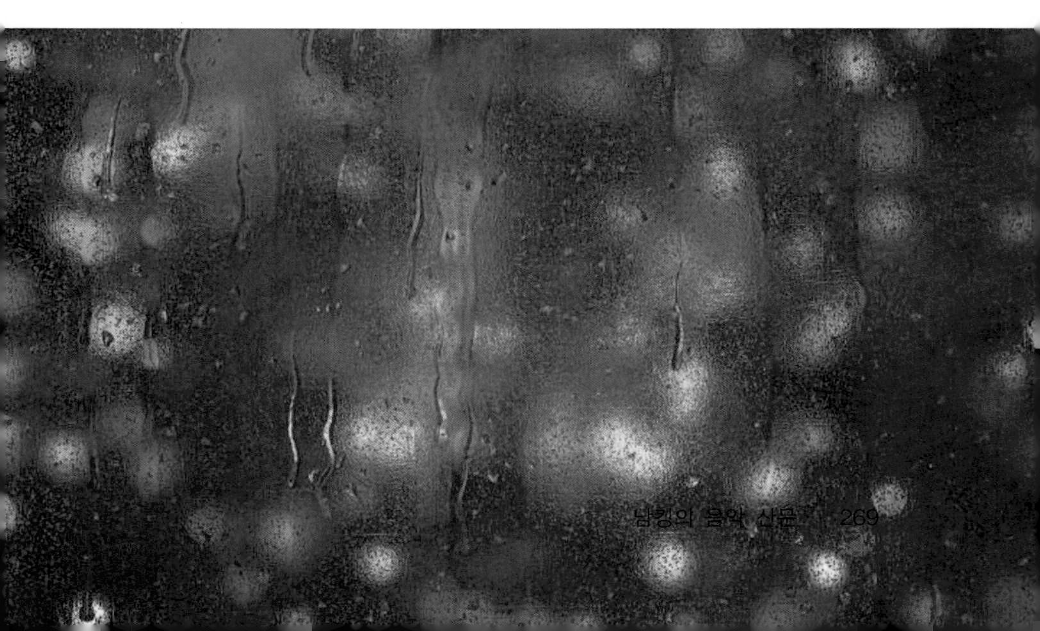

https://www.youtube.com/embed/QNMdtkGM4bQ

여름날 오후의 강렬한 빛이 세브르 찻잔에 담겨있다. 안나는 우수에 빠졌다. 나는 삶의 잉여분을 탕진한 듯 나자빠져 있었다. 가늘게 흔들리는 연회색 커튼. 책장을 비추던 햇살이 흩날렸다. 안개처럼 가려진 곳에 그녀는 성난 듯 서성거렸다. 평온했던 시절을 다 써버렸다. 지나친 걱정, 무기력, 암울함이 다시 자랐다. 침대 위에 던져진 나들이옷.

"그냥 내내 그리웠어요. 지저분하고 번잡한 거리지만…."
여자가 뉴욕으로 돌아가려 하였다. 그녀의 유년 시절이 고스란히 담긴 그곳으로 말이다. 빌딩으로 덮인 원경이 그려진다. 나는 그즈음 그녀에게 사로잡혀 있었다. 실재하는 갈등이 낳은 정적. 하지만 나는 아무것도 할 수 없었다. 나는 그저 바라보기만 한다. 행복했던 시절은 지나치게 짧고 거북살스럽게 의미가 깊다.

어머니를 다시 만났다. 딱 한 번. 한번은 보고 싶었다. 안나와 함께 한 처음이자 마지막 여행. 여름의 끝 무렵. 우리는, 노르웨이 오슬로 가르데르모엔 공항에서 차를 빌려 이틀을 돌아다녔다. 그리고 사흘째. 서쪽으로 가는 베르겐행 기차를 탔다. 그리고 다시 차를 빌렸다. 어머니에게 가기 위해서.

오전부터 비가 퍼붓기 시작했다. 나는 홀로 운전대를 잡았다. 안나는 호텔에 남았다. 룽게가르즈반 호수가 창을 뒤덮은 방이었다. 나는 검은 구름을 마주하며 질퍽한 국도를 달렸다. 속도를 한껏 높이고 스테레오 볼륨을 올렸다. <Black Sabbath>의 찢어지는 헤비메탈 사운드가 귓전을 때렸다. 창을 조금 열자 훅하고 비바람이 가차 없이 이마를 강타하였다. 빗물은 얼굴을 적시고 목을 타고 가슴으로 흘러내렸다. 운전대를 잡은 손이 시렸다.

비구름이 거의 사라진 정오쯤에, 나는 푀르데로 접어드는 도로가 훤히 내려다보이는 조용한 언덕길에 마침내 정차했다. 나는 여우비로 젖은 풀밭을 신발이 젖지 않게 사뿐히 걸었다. 나뭇가지 사이로 햇살이 반짝이며 따라왔다. 이윽고 폭이 좁은 강의 굽이를 내려다볼 수 있는 곳에서 나는 발걸음을 멈추었다.

나는 관목숲이 우거진 경사길 아래로 너울거리는 밭이 끝도 없이 펼쳐진 광경을 바라봤다. 그리고 그 한가운데, 나는 마치 달걀처럼 독특하게 생긴 은색 빌딩을 기억하며, 이곳이 어머니가 보내온 사진에서 보았던 그 장소임을 되새김질했다.

나는 빽빽한 나무 사이로 난, 좁은 돌길을 한참을 지나 밝은 광장으로 나왔다. 중앙 광장에는 평범한 분수대가 있었다. 물소리가 났다. 한적하고 조용한 곳. 하지만 조금만 귀 기울이면 다양한 소리를 들을 수 있다. 바람에 실리는 낙엽, 테라스의 식기, 포크와 나이프, 사람들의 대화, 발걸음, 눈에 띄지 않는 자그마한 새들, 멀리서 울리는 경적. 애들의 웃음. 이들은 모두 속삭이듯, 소음들 사이로 섞이지만, 조금만 애를 쓰면, 각자의 영역에서 각자의 소리를 내고 있음을 알 수 있다. 그중 아이의 웃음소리는 가장 명료하게 울렸다가 사라졌다. 그리고 이 모든 소리를 종합 해 보면, 이곳은 유럽에서 사람이 거의 살지 않는, 외진 시골이라는 것을 누구나 예상해 볼 수 있을 것이다. GPS가 그다지 잘 작동하지 않는 그런 외진 곳 말이다.

나는 카페에 자리를 잡고 커피를 주문했다. 아직 시간이 많이 남았다. 오후의 햇살이 사방을 눈부시게 만들었다. 바람은 조용하고 나무는 풍성하고 시원한 그늘을 마련해 주었다. 덜컥이는 손수레가 지나갔다. 유년 시절의 기억에 남은, 낡은 미닫이문 소리와 흡사했다. 나는 조금 전까지 맑은 어린이가 뛰어다니던 광장을 지긋이 바라보았다. 손수레와 어린이, 카페 손님이 사라지자, 홀로 남겨진 나는, 마치 시간이 쭉 늘어진 듯, 모든 게 슬로비디오로 움직이는 듯한 착각 속에 빠져들었다. 느림이 만드는 느긋한 기운이 커피를 준비하는 종업원의 익숙한 손동작이 가로지르는 곳에서 멈추었고, 바람은 점점 느리게 흐르다가, 잠시 죽은 듯 고이고는 다시 미정 된 곳으로 흐름을 이어갔다.

마침내, 어머니를 만났다. 그녀는 서성거리며 선글라스를 벗었다. 그리고 희미하게 웃음을 지었다. 심각한 그리움으로 인해 이상하게 기억에서 지워진 얼굴. 그녀의 나이 든 미소에서 나는 이모를 보았다.

"솔직히 당신과 할 생각이 없습니다." 여자의 손이 나의 허벅지를 만지기 시작했을 때 나는 참지 못하고 불쑥 말이 튀어나왔다. 그녀의 손이 멈췄다.

"그럼 다음에라도." 여자는 수수한 미소를 띠며 천천히 물러난다. 그녀의 뒷모습에 슬픔이 묻어난다. 금방 후회가 찾아왔다. 에둘러 말했어야 했다. 착한 거짓말 말이다. "조금 전에 즐거운 시간을 가졌거든. 이제 좀 쉬어야 할 것 같아서. 미안해"라고 하던가 아니면 진실을 말하던가. "사실 나는 여행가이드야. 고객을 모시고 온 거였어. 준비한 돈도 없고 말이야. 미안해."

그저 들뜬 기분에 이성이 마비된 듯하다. 감정이 순간적으로 곤두박질친다. 시간이 갈수록 상대방에게 모질게 한 일들이 가슴에 남았다. 그들은 변덕스럽게도, 우울할 때면 아프게 다가온다. 어머니와의 짧은 만남은 소소한 이야기로 채워졌다. 마치 이웃인 것처럼. 그리고 형식적인 포옹과 함께 헤어졌다. 무채색의 짧은 답변만 늘어놓았다. 그리고 매정하게 돌아섰다. 다시 오겠다는 약속도 하지 않았다.

나는 숨고 싶었다. 낯선 곳에 낯선 사람과 벗은 채 있지만, 자신을 향한 경멸이 불현듯 느껴졌다. 나는 연약하게 매달려 있는 수건을 허리에 다시 한번 조이고는 천천히 일어나 궁전의 이곳저곳을 훑어보기 시작했다. 마치 숨기라도 할 듯.

어느 순간, 작고 마른, 그리고 왠지 외로워 보이는 얼굴이 내 곁에 머물렀다. 젊은 패거리들은 자신들이 정한 파트너와 하나둘씩 사라지고 있었다. 나는 홀이 잘 보이는 어두운 곳에 머물렀다. 보고 싶음과 눈에 띄지 않음이 공존했다.

그녀는 미소를 짓고 있었다. 나를 힐끗힐끗 쳐다보거나 지나가는 사람을 따라가다가 다시 돌아서며 천장을 보거나 다시 쳐다보곤 하였다. 짙은 까만 눈동자. 그저 무언가에 관심이 있거나 끌고 싶은 빛의 실루엣. 미소 뒤에 보이는 외로움이 퍼지듯 펼쳐져 지나온 듯한, 애틋한 속삭임처럼 들렸다. 이윽고 그녀와 눈이 마주쳤을 때 나는 미소를 지었다.

"카타리나에요." 여인은 자신의 몸에 묻은 애액을 휴지로 닦으며 배시시 웃었다. 그녀는 특이했다. 키도 작고 가슴도 작았다. 까만 머리에 검은 눈동자를 지녔으며 마르고 연약해 보였다. 그러니 인기가 없었다. 나와 조그마한 방에 들어오기 전까지 그녀는 적어도 10명 정도의 남자에게 거절당했다. 그녀는 전형적인 아시아인 모습이었다. 어쩌면 이 궁전에 있는 유일한 아시안 여인일 것이다.

나는 그녀의 국적이 무척 궁금했다. 아니, 정확히 출생이 궁금했다. 하지만 묻지 않기로 했다. 적어도 그녀가 먼저 말하기 전까지는 말이다. 아무리 개방된 나라 일지라도, 매춘에 대한 의미는 서로에게 부끄러운 일인 것인 것만은 틀림없으니 말이다. 그녀는 대단히 적극적이었다. 그리고 항상 미소를 잃지 않고 있었다. 어쩌면 무척이나 어렵사리 손님을 맡은 것 같기도 하였다. 그녀는 정성스럽게 내 몸 구석구석을 마사지하였으며 정사를 할 때도 무척이나 친절하였다.

나는 지갑에서 50유로 1장을 쥐었다가 다시 한 장을 더 쥐여 주었다. 그녀 얼굴 전체에 행복감이 걸렸다. 그 행복이 따스하다. 모처럼 만에. 왠지 그냥 헤어지기가 싫어진다. 하지만 돌아섰다. 나는 무거운 발을 옮긴다.

수증기로 덮인, 사우나의 모퉁이를 돌 때쯤, 그녀가 다시 나타났다. 내게 명함을 쥐여 주고 간다.

"언제 한번 꼭 들러주세요. 꼭요." 명함에 적힌 곳은 마사지하는 곳이었다.

나는 여름이 오기 전, 그곳을 들렀다. 그리고 적어도 한 달에 한 번 정도는 갔다. 나는 여러 나라, 여러 도시를 돌아다녔다. 긴 여행의 끝자락에는 그녀가 생각났다. 그녀는 이제 내가 사는 도시의, 몇 안 되는, 아는 여자가 되었다. 하지만 나는 그녀에 대해 아무것도 몰랐다. 내가 아는 유일한 것은, 그녀에게 딸이 하나 있다는 것뿐이었다. 마사지 중에 걸려온 전화로 알게 된 게 고작이었다. 우리는 그저 눈을 마주치고 웃고 만지고 섹스만 할 뿐이었다.

Lyrics

I feel unhappy, I feel so sad
I′ve lost the best friend, that I ever had.
She was my woman, I love her so.
But it′s too late now, I′ve let her go.
I′m going through changes.
I′m going through changes.
We shared the years, we shared each day.
In love together, we found a way.
But soon the world, had it′s evil way.
My heart was blinded, love went astray.

I′m going through changes.

I′m going through changes.

It took so long, to realize.

And I can still hear her last goodbyes.

Now all my days, are filled with tears.

Wish I could go back, and change these years.

I′m going through changes.

I′m going through changes.

Yumeji's Theme

음악, 상념

Shigeru Umebayashi - Yumeji's Theme

https://www.youtube.com/embed/K559UjlOx_M

마침내 그들의 저녁이, 긴 시간 끝에 끝났다. 나는 이제 승객을 태우고 숙소로 향한다. 프랑크푸르트 외곽에 있는 반달 모양의 호텔. 거리는 한산하다. 언제나 그렇듯이. 투박한 야경이 길옆으로 펼쳐진다. 흐릿한 가로등. 젖은 도로. 인적은 사라졌다. 검은 가로수가 펄럭인다. 외로운 차들이 붉은빛을 밝히며 빠른 속도로 스치듯 사라진다.

승객들은 낯선 풍경에 무관심하다. 낮고 긴 톤의 대화가 이어진다. 익숙한 그들의 언어가 생소하게 들린다. 마치 서울의 사무실 하나를 옮겨 놓은 듯하다. 아무도 오랜 시간의 여행 끝에 도착한, 유럽의 도시에, 비 내리는 야경에 대한 호기심을 허락받지 않은 듯하다. 늦은 밤. 그들은 모두 진지하고 심각하다. 조용하던 대화는 목적지에 다다를수록 점점 커지고 거칠어진다. 질책과 비난, 모호한 반론이 섞인다.

이윽고, 모퉁이를 돌아 호텔 정문이 보이는, 둥근 주차 공간에 차를 멈추었다. 하지만 아무도 내릴 준비를 하지 않는다.

"저 죄송하지만, 가이드 아저씨. 추가 요금은 드릴 텐데, 여기서 회의를 좀 더 하겠습니다." 그들은 감히 안락한 방으로 가기를 주저한다. 서글픈 인간들. 석고처럼 단단한 얼굴. 그들의 이면을 집어삼키는 살아간다는 행위. 목적을 알 수 없는 구속. 죄송하게도 세상은 당신처럼 천천히 조금씩, 아무도 모르게 찢어지고 있다. 상실조차 이해하지 못하는 것. 처량한 안개 비가 내린다.

나는 조용히 차 문을 열고 내린다. 빗방울이 얼굴에 내려앉는다. 백미러에 비친 그들은 온전히 일에 미친 사람이다. 워크홀릭을 삶의 최상위로 떠받드는 나라. 시간도 잊은 듯, 시차도 잊은 채, 오랫동안 그들은 좁은 차 안에서 격정적인 토론을 이어갈 것이다. 그런 모습을 보면서, 나는 그들이 어쩌면 몰아의 행복 같은 단계에 이른 것이 아닌가 하는 의구심을 느끼기도 한다.

나는 호텔 로비에 있는 카페로 향한다. 에스프레소 커피를 주문하고 무거운 눈으로 미팅이 끝나기만을 기다린다. 서글프지만 이게 내가 살아가는 방식이다. 기다리고 또 기다린다.

기다림은 생각의 방향을 속으로 바꾸어 버린다. 어머니의 뒷모습이 흘려 놓은, 긴 그림자 속에서, 나의 유년 시절은 미지의 날들을 손꼽았다. 재회의 설렘. 하지만 시간은 그마저 흩어버렸다. 만남은 이별처럼 고통이었다. 그것은 우연하여도, 예정되어도 고통스럽기는 마찬가지였다. 시간은 켜켜이 고통을 쌓아둔다.

8일간의 이탈리아 일정을 마치고 돌아온 어느 날, 나는 한 통의 편지를 받았다. 두툼한 편지봉투에는 낯선 주소의 생소한 이름이 찍혀있었다. 마치 기독교 선교 단체 같은 데서 보낸 책자처럼 느껴져 봉투를 뜯지 않은 채 물끄러미 바라보았다. 그러다 피곤함을 느낀 나는 책상

위에 편지를 휙 던지고는 샤워실로 향하였다.

그렇게 며칠 동안 나는 그 편지의 존재를 까마득히 잊고 있었다. 낯선 전화를 받기 전까지는.

"안녕하세요. 변호사 슈미츠라고 합니다. 통화가 가능하신가요?"

"네 가능합니다만 누구신지?" 나는 변호사란 말에 순간적으로 자동차를 떠올렸다. 작년에 뺑소니차에 연루되어 한동안 변호사 신세를 진 적이 있기 때문이었다.

"아 네, 저는 카타리나 씨의 유언 집행 변호사입니다. 카타리나 씨를 혹시 기억하는지요?"

나는 순간적으로 <유언>이라는 생소한 단어에 혼란을 느끼며 조심스럽게 말을 이어갔다.

"죄송합니다만 제가 독일어가 좀 서툽니다. 이해해주시고요. 하지만 유언이라고 말씀하신 것 같은데…. 혹시 유언이라면…."

"아 네 먼저 그 말씀부터 안 드렸군요. 불행하게도 카타리나 씨가 4주 전에 돌아가셨습니다."

"죽었다고요?"
"네 고인이 되셨습니다. 혹시나 알고 계시는지 모르겠지만, 지병으로 몇 년간 고통받으셨습니다. 일종의 신장 쇼크사로…."

가슴이 휑하니 사라진다. 나는 그날 밤, 그녀와 보낸 마지막 하루를 몸으로 끄집어내곤 한다. 새큰거리는 숨소리. 시계는 멈추고, 시간은 프로메테우스의 심장처럼, 애정을 담은 채, 간절하게 흐른다. 시린 무릎에 감긴 여인은 나직하게 웅얼거린다. 알 수 없는 말. 그러나 그녀가 내뱉는 탄성은 지루한 나를 깨운다. '삶은 그냥 딱 한 번이야! 그러니 그다지 미련스럽게 주저할 필요 없잖아.' 부드러운 그녀의 손끝이 아름다운 곡선을 그으며 아래로 내려간다. 내 몸에 새겨진 길을 따라 환희가 번진다. 그냥 죽어도 좋다고 생각했다. 내 속을 채우던 걱정이 아낌없이 삐져나온다. 비틀고 뒤틀리고 쏟아진다. 방안을 채우는 격렬한 소리. 여자는 무섭게 안긴다. 그녀가 부르르 떤다.

세월은 내 기억에 대한 확신을 가렸다. 무엇이든 남겨진 것은 그리움뿐. 조각조각 그저 맹목적으로 좋아했던 순간. 그 찰나는 이제 이슬이 되고, 엮이고 줄이 되어 비로 흘러내린다. 가닥 가닥을 수 놓은 후회 덩어리.

내가 봉투에서 꺼내 든 것은 낡은 일기장이었다. 중간을 펼치자 다양한 크기의 단어들이 여러 방향으로 그려져 여백을 꽉 채우고 있다. 불어와 영어, 독일어가 마구 섞였다.

나는 한 장씩 읽어나간다.
'나는 사랑하고 널 사랑하고 또 사랑하고 싶은데…. 코제트야.'
나는 서둘러 다른 장을 이곳저곳 펼친다.
'어쨌거나 우린 모두 언젠가는 죽을 거야. 코제트.

그러니 엄마를 애써 기억하는 수고는 하지 말길.
하지만 엄마의 진짜 이름 정도는 알아 두어도 무방하겠지.
박순임 (Park Soon Im)'

비가 5번 아우토반을 적신다. 낮이지만 어두운 거리. 나는 무언가에 끌리듯, 그 어두운 공간을 뚫고 간다. 마치 온전한 그리움으로 가는 느낌이다. 비가 창에 톡톡 튀며, 내 곁을 지나 빠르게 흩어진다. 나는 그저 외로움과 그리움에 합당하게 반응한다. 그건 세상이 내게 준 의미이자 비밀스러운 약속이다. 스치는 숲. 바람. 조각구름. 끝을 알 수 없는, 구부러진 길. 완곡의 산을 지나 소담스럽게 마주치는 작은 마을. 벽돌집. 골목과 성당. 카페와 사람. 그리고 추억.

누구든 그리움은 있는 거니까. 너 또한 그리움의 대상일 거야. 그리고 이건 아주 짧게 끝날 거야. 모든 것은 결국 사라지니까.

점점이 흩어지는 아름다운 여인. 어머니, 할머니, 이모, 아내, 딸, 안나 그리고 순임. 나는 그저 이방인의 도시에 남아 거리를 달린다. 흐름에 떠내려갈 뿐. 그리고 비는 여전히 그치지 않는다.

지그문트 거리의 카페에 다시 왔다. 변호사의 편지에 적힌 그곳. 박순임의 딸, 코제트가 입양된, 그 집이 내다보이는 자리에 앉아 나는 지금, <우메바야시 시게루(Shigeru Umebayashi)>의 <유메지의 테마(Yumeji's Theme)>를 듣고 있다.

내 그리움의 종착역에서.

남킹 컬렉션

#001 그레고리 흘라디의 묘한 죽음

#002 거짓과 상상 혹은 죄와 벌

#003 신의 땅 물의 꽃

#004 심해

#005 당신을 만나러 갑니다.

#006 블루드래곤 744

#007 꿈은 이루어진다.

#008 파벨 예언서

#009 떠날 결심

#010 리셋

#011 1월의 비

#012 남킹의 문장 1

#013 남킹의 문장 2

#014 남킹의 문장 3

#015 하니은 매화

#016 남킹의 문장 4

#017 스네이크 아일랜드

#018 천일의 여황제

#019 이방인

#020 거리를 비워두세요

값 22,200원
03810
9 791141 058630
ISBN 979-11-410-5863-0

알기 쉬운 생산기술

정대식 지음